Circle of Time

Circle of Time

A History of Bethania Chapel, Waterloo
and an insight to the Welsh Calvinistic Methodists
in North Liverpool and Southport (1879-2013)

by

John P. Lyons

Modern Welsh Publications Ltd., Liverpool
2013

First edition: September 2013
Second edition: April 2018

Published by Modern Welsh Publications Ltd
Allerton, Liverpool L18 6HW

ISBN 978-0-901332-95-0

Bethania Chapel is grateful to North East India Wales Trust
for financial assistance towards the publication of this book.

Gifts were given for the publication of this second edition
from the legacy of Miss Kitty Roberts and a grant from
the St David's Welsh Church Charity.

The cover photograph was presented by
Mr Gordon Short, Crosby, to Bethania Chapel.

Printed in Wales by Dinefwr Press
Rawlings Road, Llandybïe
Carmarthenshire, SA18 3YD

Contents

Introduction

IT CAN BE CONFIDENTLY stated that Merseyside has been blessed with more Welsh religious historians than almost anywhere within Welsh Presbyterianism. In the nineteenth century John Hughes (1796-1860), who was the pioneer historian of the Calvinistic Methodists, came to reside in Liverpool so as to enhance both the growing Welsh market for his books and his effectiveness as a religious leader. He settled at the Mount, near to the present Anglican Cathedral, and between 1851-6 he published three volumes on the history of Welsh Calvinistic Methodism in Wales, a feat which was highly regarded by Welsh historians of the calibre of Professor R. T. Jenkins.

In the twentieth century the Reverend John Hughes Morris (1870-1953) published two historical contributions of the denomination. One on the history of the Welsh Calvinistic Methodist Missionaries to Brittany and North-East India up to 1904 and then two useful volumes published in 1929 and 1932 on the history of Welsh Calvinistic Methodism in Liverpool, the Wirral and the surrounding area of Lancashire. We owe him a huge debt of gratitude.

The third important contribution to our historical knowledge was the publication of *The Liverpool Welsh and their Religion* (Liverpool and Llanddewi Brefi, 1984) by Dr R. Merfyn Jones and Dr D. Ben Rees. I edited the work and contributed two chapters, one on 'The miracle and diversity of religion in two centuries' and the other 'The contribution of the Calvinistic Methodists to religion and the community'. Dr Merfyn Jones made an important analysis of the lives and work of the Welsh people of Liverpool. Since then I have published books on the Liverpool Welsh people, Welsh Missionaries and the histories of individual churches on Merseyside. By now substantial volumes have been published on the history of the churches at Webster Road, Heathfield Road and Bethel, Salem and Seion, Laird Street, Birkenhead, as well as a history of Ellesmere

Port with references to the Missionary chapels of the denomination in the North East and the North West of England. I have not been alone in researching this history as Dr Arthur Thomas has published booklets in the English language on the chapel at Garston and the other study on the impressive Cathedral of the Welsh called the Princes Road Chapel. We are fortunate to have these histories recorded and now welcome another contributor in the person of John P. Lyons to our company of researchers so as to keep alive our Welsh religious heritage.

As one who has been privileged to review the preparation of this work, I can vouch it to be an important contribution to the history of the Welsh Calvinistic Methodist chapels of North Liverpool, Bootle and Southport. John P. Lyons has been fortunate in his research by having available at his fingertips the original documentation, some of it in poor condition, stored under the platform of the school hall in the buildings at Waterloo chapel. He notes that many of the books and documentation had been neglected and spoilt but this did not prevent him from being able to relate the story of the origin and growth of Bethania. He was also able to draw on the history of the dynamic church of Stanley Road, Bootle, and encompass the missionary church of Peniel, Southport. The great advantage of the author is that he and his wife have been very involved and completely dedicated themselves to the Welsh Calvinistic Methodist Christian witness in Bootle and Waterloo since their arrival in 1966 from Caernarfon.

It should be remembered that John P. Lyons is an unusual phenomenon. He was an evacuee escaping from the blitz of the East End of London. He and his sister duly arrived in the remote village of Rhydwyn in the north of Anglesey, without a Welsh heritage or any trace of a Welsh connection. In this totally strange environment, for this young English lad, he immersed himself in a new and foreign culture and language to such an extent that he became within a short period of time a fully committed Welshman. It goes to show that blood or genes alone does not make a Welshman but his roots, language (most often), a good Welsh community and personal commitment are the essentials. Then he married an Anglesey born and bred young lady, Marian, who has been supportive and endearing in her care for him and their son and two daughters and their families. I can well remember being part of the Ordination Service when John P.

Lyons was made an elder of the Liverpool Presbytery in 1973. He was elected by the church at Stanley Road, Bootle, where he and his supportive family had been active members for seven years. He was diligent in his work as an elder and after his retirement from the police force he has ably represented them in the courts of the General Assembly, serving as a Moderator of the Liverpool Presbytery and all its committees as well as the Association of North Wales. He is the Moderator of the North East Presbytery for 2013 and we are confident that he will serve faithfully all the churches that belong to the institution in Flintshire, Wrexham, Manchester as well as Merseyside.

I can assert on behalf of every member at Bethania Church our appreciation of the great effort made by John P. Lyons to gather and analyse the material and produce a readable historical story. The book does a great favour for the hundreds of good people who have belonged to the churches mentioned over the years and also to the faithful remnant now worshipping as pilgrims of the Faith, sharing the facilities of our fellow Christians in Christ Church. We give thanks to our good elder John P. Lyons for his presentation of this work for our enjoyment.

This book is a reminder of the valuable contribution made over many generations by the Welsh Christian Churches and community to this important region within the City of Liverpool. At the same time we acknowledge the Lordship of God together with the power and loving care of our Lord Jesus Christ. That is the reality of faith. We now hope to find a glimpse of the Prince of our Salvation when reading, as did the earlier disciples in the days of great fulfilment. We have to serve in painful days whilst accepting fully the responsibility of being 'the salt of the earth' and a 'city upon the hill'. This book is in my opinion so important and should be read extensively by our English friends and fellow Christians.

D. Ben Rees
Emeritus Minister of Bethania *January, 2013*

Author's Acknowledgements

THE WRITING OF THIS historical account was only made possible with the assistance of the members of Bethania Church, Waterloo, and several others.

Without the help and tolerance of my wife Marian the work could not have been started. We secured as many as possible of the documents and books relating to the Church following the closure of the buildings. Our home became the depository for the many, damp, smelly books and documents spread about the house for many weeks whilst trying to salvage the most important items.

Whilst compiling the book I asked my friend, the late Humphrey Wyn Jones, to check its contents and structure on completion. He agreed but by then it became known that he had a terminal illness and his time was limited. I visited him at Clatterbridge Hospital and then at the Marie Curie Hospice where he expressed a wish to fulfil his promise. It is impossible to appreciate his state of mind but his notes on my first draft are testament to his ability and application even in those last dark days. Louie, his beloved wife, returned the file to me after his funeral. This was his last work and memorable favour to me before he passed into the care of Our Lord.

Humphrey and I had agreed that our Minister the Reverend Dr D. Ben Rees would edit the final version. As expected from his expertise and extensive knowledge of the History of the Welsh Churches on Merseyside there were numerous changes and suggestions. He also contributed the Introduction and completed Appendix II relating to the Missionaries. This book is more complete and accurate because of his guidance.

I thank Mrs Eleanor Bryn Boyd, B.A., for checking the English translation as it was originally written in Welsh.

My grateful thanks to everyone who has contributed in any way.

JOHN P. LYONS *1st March 2013*

Preface

ON SUNDAY, 28th October 2007, another chapter in the history of Welsh Methodism on Merseyside was concluded with a service led by the Reverend Dr D. Ben Rees, the minister of the Presbyterian Church of Wales at Waterloo. We gave thanks and celebrated all that had been contributed to and achieved in a period of over one hundred years by the Welsh community centred on the chapel buildings in Crosby Road South, Waterloo. Following the service the twenty-eight members of Bethania Church migrated across the road to worship in their beloved Welsh language at the invitation of our Anglican friends at Christ Church.

Over the years much of the history has been written and I will now seek to draw together these accounts and fill in the gaps. The initial account was written in 1910 by the first minister of the church, the Reverend William Henry, as an introduction when binding together the Annual Reports for the years 1881 to 1909. A full translation of this is attached at Appendix I. Secondly, between 1929 and 1932 the Reverend John Hughes Morris compiled a history of all the Welsh churches on Merseyside, including Waterloo, when there were 22 Welsh Methodist Churches within the Presbytery plus a further equal number of 'Missionary Churches'. A huge achievement. Another factual source was the history of Stanley Road Chapel, Bootle, as compiled in 1926 by the famous Liverpool Welsh author and publisher, Hugh Evans 'Cwm Eithin'. The history of Welsh Methodism in Liverpool goes back many years before the establishment of our church and there is an account of celebrating its centenary at Henglers Circus, Liverpool, on 22nd November 1882.

The celebration of the centenary of the Cause at Waterloo took place in September 1979 and the then minister the Reverend R. Maurice Williams wrote a very short overview of its history.

Following the closure of the chapel buildings it became my responsibility as the only elder of the church to preserve important historical documents and dispose of extraneous things. There was a mountainous pile of stuff to be sorted. Many of the books and documents were in a parlous state having been affected by dampness, but I found amongst it many pearls disclosing a century's worth of religious and community work in Waterloo and the surrounding area.

Many contend that history tends to repeat itself and so it appears in the story of the Welsh Presbyterian Church at Waterloo – which has been named 'Bethania' since joining with Stanley Road Chapel, Bootle, in 1991. Members of 'Peniel', the Welsh Church at Southport (established in 1864), joined our congregation at the end of the year 2000. The congregation was further augmented with the addition of members following the closure of the Welsh Baptist and Welsh Independent Causes in Bootle. Thus we arrived at our starting point where the meetings were inter-denominational and held in rented buildings supplied by sympathetic English supporters.

Chapter 1

The Welsh People of North Liverpool and Bootle

THERE WAS AN GREAT migration of Welsh and other people into Liverpool during the eighteenth and nineteenth centuries. One account notes the population of Liverpool in the year 1867 as being 520,000 and of these about 40,000 were born in Wales. It was estimated that 20,000 Welsh people came to Liverpool, mainly from North Wales every decade between 1851 and 1911.

Thousands of the most adventurous and able were attracted to the City to seek their fortunes or at least to find work and escape their crushing poverty. Liverpool was thriving commercially and had become a busy port pushing its boundaries in all directions particularly along the seaboard of the River Mersey. In those early days Bootle was but a pleasant seaside village, a place where the gentry lived and was also a source of water for those living in Liverpool. Within a relatively short period the docks developed and expanded towards Bootle and Seaforth and around the year 1815 the 'well to do' left for Waterloo leaving Bootle to become a residential area for the working classes. The main reason for this change was the transfer of the timber docks from Garston to the new Canada Dock in Bootle. The docks continued to spread northwards towards Seaforth resulting in thousands of workers coming into the area. Welsh people also came bringing their building knowledge and other skills into the market place and it was noted that 211 adults and 81 of their children lived in the Bootle, Seaforth, Waterloo and Crosby area in the year 1860.

It was the practice for the Welsh to establish chapels to safeguard their religious and cultural life. Several of these chapels of all denominations were established throughout Liverpool and Bootle although only one in Waterloo – our Presbyterian Church of Wales. These chapels were their religious and social centres enabling them to live and associate in their 'mother tongue' in tightly knit communities as many of them were monoglot Welsh speakers. The chapels contained the fonts of all knowledge essential for the newcomers with persons of great influence as their leaders. Here knowledge was available about suitable lodgings and work as well as information of social and religious events. It was a time of the great Nonconformist Religious Revivals sweeping through Wales and many had come to the City still in thrall to its effects. Several had been forced to leave their Welsh homes by being discriminated against for deserting the Established Church. Every aspect of life was catered for by the chapel community; indeed, it was the only place where they were contended and available for them to worship in Welsh and enjoy fellowship in their mother tongue. It is noted in the history of *The Liverpool Welsh Society* that there were 47 Welsh chapels and 10 missionary halls on Merseyside in the year 1896/7 with a membership of approximately 24,000. This number doubled in the twentieth century indicating the expansion of the Welsh community and its activities. The churches were numerically at their strongest between the two World Wars.

Liverpool became one of the most important centres of Welsh Calvinistic Methodism and its Annual General Assembly was conducted in the Presbytery every third year, in rotation with North and South Wales. The larger chapels such as Stanley Road, Bootle, with huge congregations attracted some of the best and ablest ministers to serve them. Its first minister, the Reverend Griffith Ellis, a polymath, was instrumental in establishing the church at Waterloo.

The outbreak of the Second World War saw the Welsh community change as if overnight. Their young men left to join the armed forces. Mothers with their children returned to the safety of their families in Wales. The churches were emasculated with the loss of their congregations and Sunday Schools. It became necessary to conduct church services in the afternoon because of the 'black-out'. A further wave of people left the City as the frequency and ferocity of bombing raids by the Germans increased. Most of our chapels suffered bomb damage including Waterloo and Stanley Road which chapel was razed to the ground during a night raid on

4th May 1941. The Welsh chapels and community never returned to its former glory after the war.

In presenting his report on the state of the churches in the Liverpool Presbytery to the North Wales Association that met in Liverpool in 1950 the Reverend Llewelyn Jones, Douglas Road, Anfield, stated that the number of its churches had been reduced to 30 with a membership which had fallen to 4,400. He compared this with 36 churches in 1932 and a membership of 9,400 in 1917. Several ministers had died during the year including the Reverend Stephen Davies and Mr D. Lloyd Hughes, an influential lay preacher of many years standing, both of Waterloo Chapel. It was a cause of concern to the Liverpool Welsh churches that the great inflow of Welsh people and talent had been greatly reduced after the Second World War. This was coupled with a lessening of attachment to churches and a reduction of the religious fervour of old. Many reasons were advanced including the economic slump, the loss of the cotton trade; a lessening of shipping activities and commerce so the building trades which were so important to the Welsh community almost ceased. Many returned home to Wales. Social attitudes changed, the expansion of scientific knowledge and the horrors of war all played their part in the equation – this was the beginning of the secular society in Britain.

Following the war the 'Great Appeal' was launched with a target sum of £100,000 to re-build and revitalise the churches. Few of the new Welsh arrivals who came to the City as teachers, nurses, policemen and university students enrolled in the churches. What had been closely knit Welsh communities became dispersed and melted into the general population with a lessening of the use of the language and practices of its culture. Many of the children became anglicised although it had been hoped that they would have returned home after the war with a better understanding and use of the language. By the sixties the *'Aelwyd'* (Welsh Youth Organisation) had ceased and the various children's groups lessened year by year. The cultural festivals *'Eisteddfodau'* and Sunday School Festivals weakened and then disappeared one by one with the Sunday School at Bethel, Heathfield Road, being the last amongst the Welsh on Merseyside to be held. It ceased to exist at the end of 2010. There is still a large percentage of the population of Merseyside with Welsh connections although barely two hundred of them make any serious commitment to the chapel or other Welsh societies. It is surprising that there is still a number of the second and third generation immigrants able to speak the language fluently and also an upsurge of individuals, generally with Welsh connections, wishing to learn the language.

Chapter 2

The Beginning of the Welsh Religious Witness at Waterloo

THE CAUSE AT WATERLOO can be traced back to the year 1867 when one of the few Welsh residents a Mr William Owen met Mr William Davies a draper from Berry Street, Liverpool, who had come to the area with his family to help the recovery to health of his child in the bracing air of Waterloo. They with their families and two of their maids met to read and discuss the Bible in the Welsh language and eventually started a Sunday School. Several young Welsh women employed in service in the area's grand houses joined in. Some would probably have attended the chapel at Millers Bridge, Bootle, but the distance and lack of public transport made it very onerous. In fact the Annual Report for Millers Bridge, Bootle for 1870 shows for the first time reference to the establishment of a Sunday School at Waterloo with a membership of 53. It is chronicled how two of the elders of Millers Bridge, William Parry and John Evan Jones together with Elias Morris would for many years walk from Bootle to the various venues in Waterloo to teach at the Sunday School. Inquisitive English people would gather fascinated with the discussions and Bible reading classes. Every now and again a preacher would attend Waterloo and conduct a Sunday service in the afternoon after having been at Bootle in the morning.

It appears the numbers attending the religious meetings outgrew the space available and the group moved from place to place for twelve years before the Church formally came into being. Their first Welsh meeting took place on 9th May 1867 in a room belonging to the English Independent Church in Church Road. Then they moved in 1871 to the Chapel of the Primitive Methodists in Albert Road. In 1873 Mr Edward Peters secured a room at the Good Templar's Hall at 6 Church Road and then on to the Wesleyan Chapel in Wesley Street. The numbers ebbed and flowed necessitating them to rent space in the Assembly Rooms, East Street and then the Assembly Rooms in Dean Street. Membership increased and there was a renewed air of optimism. With the assistance of the Bootle Church three meetings were held each Sunday – a Sunday School in the morning, a service in the afternoon and a Prayer Meeting in the evening. Again the old bugbear of disagreement split the congregation but the core remained faithful. They organised a 'Welsh Tea Party' to raise funds for their rent and other activities. To their great joy the substantial sum of £9.0.6d was raised and was put by towards a fund to build their own chapel. A visionary dream! This was an important era in the formation of the Cause as many new Welsh families arrived to invigorate the Sunday School and plan for a new church.

After all these moves the congregation returned to the Independent English Church in Church Road where their journey started. There at a meeting on the evening of Wednesday, 22nd October 1879, led by the Reverend Griffith Ellis, M.A., Bootle, it was decided that sufficient numbers and means were available for the establishment of a Presbyterian Church of Wales in Waterloo.

The application came before the Liverpool Monthly Meeting on 5th November 1879, and their minutes record: 'An application was received from the Church at Bootle for the establishment of church at Waterloo'. It was further stated that approximately 40 members, mostly from Bootle had worshipped there regularly for some time. The application was supported and the Minister and elders of Bootle Welsh Calvinistic Methodist Chapel and the Reverend Owen Owens of Anfield Road chapel and Mr John Lewis, Hope Street, representing the Liverpool Presbytery were charged to formally establish the Cause at Waterloo. They moved quickly and on Wednesday evening, 26th November 1879, under the guidance of the Reverend Griffith Ellis, Waterloo Calvinistic Welsh Methodist Chapel was established. Twenty-three members of the Waterloo community were present and eighteen of them enrolled that evening. By the end of the year the membership had increased to forty-six. Mr Edward Peters, M. J. Parry, W. J. Hughes and Robert Jones were chosen as an organising committee and at the beginning of February 1880 the first three named were chosen to be Elders.

The sacrament of the Lord's Supper was first served to the new church by Griffith Ellis on the afternoon of Sunday, 4th January 1880. He also conducted the first baptism, that of Robert Jones Hughes, the son of William and Mary Hughes, The Elms, Claremont Road, Seaforth, on Friday evening, 30th January 1880.

The Reverend Griffith Ellis, M.A., was pivotal in establishing Waterloo Church and his portrait had been brought from Stanley Road when the churches joined to become Bethania. This very portrait was placed in front of the pulpit in Waterloo for the last of our services there. He was a remarkable character who graduated with honours at Balliol College, Oxford, having left school at Aberllefenni in Merionethshire at twelve years of age. The elders at Bootle became aware of his great talents and invited him to lead their church in 1873, some two years before his graduation from the University of Oxford. He remained at Stanley Road throughout his ministry until his retirement in September 1911. He was an outstanding minister to his numerous flock, a teacher, a civic and religious leader in both English and Welsh circles. He edited the denominational newspapers and published many treatises on the Bible. A lecture was established during his ministry by one of the worthies of Bootle to be presented at the Annual General Assembly of the Presbyterian Church of Wales – *'Y Ddarlith Davies'* (The Davies Lecture). He gave the first of these lectures and they have continued to this day. He busied himself with the organisation of the Methodist cause – in fact our present Minister, the Reverend Dr D. Ben Rees, appears to be a carbon copy of Griffith Ellis in so many ways!

The first elders, Edward Peters, Morris J. Parry and William John Hughes, as we have indicated, were elected shortly after the establishment of the church. It was stated that they were good and enlightened men and 'the Lord received much glory through their efforts'. Edward Peters was a coal merchant and claimed to be the first Welshman to reside in Waterloo – though we know that the Reverend Edward Owen, who is mentioned in a letter by the Welsh poet and Anglican divine Goronwy Owen, was a curate in the Anglican Church at Crosby about 1750. Peters was a member of Millers Bridge Welsh chapel (which later moved to Stanley Road) and he worked diligently to establish the church at Waterloo. I found an agreement under his signature amongst the church papers dated 15th October 1877 renting the Assembly Rooms, East Street, for the purpose of conducting a Welsh Sunday School and a prayer meeting each Wednesday evening at a rate of six shillings a week (30p). It would seem that Mr Peters was in disagreement with the other elders and returned his membership to Bootle Welsh chapel in 1881. This dispute was subsequently settled and he returned with enthusiasm to Waterloo shortly afterwards but not as an elder of the church. It is not clear whether he was ever elected again as an Elder.

Mr Morris J. Parry arrived in Liverpool from Port Dinorwig as a young man. He was outstandingly able both physically and mentally and advanced because of his aptitude to the responsible position of Chief Clerk of the Local Board. The other elder, Mr William J. Hughes, was born in Liverpool but moved with his family to Gaerwen on Anglesey at the age of ten. He became a teacher at Llanfyllin school before returning to Liverpool. He was highly regarded as a knowledgeable and dignified man.

The first Annual Report for the church was published in the year 1881 and consisted of a list of members and their contributions. It showed a membership of 90 and as could be expected 71 of them being unmarried women in service. There were 15 children. Membership was very fluid with 61 joining from other churches and 38 leaving. The Sunday School was flourishing with an attendance of 80 scholars over the age of fifteen and ten under that age led by six teachers. The accounts show two donations: £1 given by Mrs Christian and delivered by Miss Mary A. Rowlands and the other for ten shillings from Miss Mary Thomas, 19 Great George Road. We can only presume that these were caring, supportive employers.

Difficulties were faced in the first fifteen years of the church's existence with heavy losses through death and many dynamic members leaving the area. The burden of organising fell heavily on the shoulders of its two very able elders. By the time of the establishment of the Church the population of Waterloo increased steadily with a good number of Welsh families residing in this desirable area plus the many young women in service, renowned for their honesty and hard work.

The population during this early period was fluid with much movement by the Welsh workers and population in general. Griffith Ellis kept statistics of the Bootle membership showing that of the 1,230 enrolling between 1874 and 1883 only 87 of the original members remained at the end of the decade.

The Reverend William Henry, Pontypridd, became the Church's first minister in 1897 and remained for twenty-two years before leaving for Port Talbot.

In his introduction to his *History of the Welsh Presbyterian Chapels of Liverpool* the Reverend John Hughes Morris states:

> 'As this book is being written there are clear signs of a bright future for the Church at Waterloo'. The community has developed quickly in the last few years and extends beyond Great Crosby and Blundellsands. Already a good number of Welsh families have settled in this pleasant district. The statistics for the Church at the end of 1930 show 415 full members; 70 children and a whole congregation of 535.'

Waterloo was the last chapel of any of the denominations to be established in the north of the City despite new Welsh communities settling in Crosby, Formby and Freshfield. A Welsh chapel had been established in 1871 in Southport to cater for visitors to the town and the women servicing the hotels and boarding houses. Peniel Chapel, Southport, closed its doors at the end of 2000 and joined with us at Bethania, Crosby Road South, Waterloo, in 2001, but by 2013 not a single one of the twelve members or their Elder, Mrs Gwyneth Evans, remain on our register. Mrs Evans' son, David Evans, does attend on special occasions.

Chapter 3

The Building of Waterloo Church

FOLLOWING A GREAT DEAL of deliberation regarding the location of the chapel the decision was made in 1882 to buy a site on Crosby Road South from David Fernie at a cost of £2,500. It needed to be central and prominent. This was a challenging venture and enterprise by the leaders of the church considering the comparatively small membership of 122 and what was a huge debt. Despite this standards were not to be compromised and two members were excommunicated. We do not know for what reason, probably some foolishness but it was an age where discipline was strict and sometimes harshly imposed.

They set about the task of financing the venture with gusto and apart from the contributions of members held events such as concerts, lectures and what appears to have been popular and profitable a 'Welsh Tea Party'. These events must have been a great attraction to the general population of the area as 686 tickets were sold. The accounts mentions the purchase of tea, buns and ham with a choir and a well-known solo artiste, Megan Môn, entertaining the guests. So successful was the 'tea party' that it became an annual event up to the year 1904. Amazingly the grand sum of £981 was amassed during the first year!

The membership grew steadily during the first few years and reached 250 by 1896. In addition 250 attended as adherents or 'Listeners', that is people who were not members. Some of them, not wishing to move their 'membership ticket' from their home chapel, and others could not afford to pay for their involvement as committed members of the chapel. The chapel saw its obligations as being beyond its local mission and organised a collection to assist the quarrymen who had been 'locked out' of their work by the unsympathetic owners of Dinorwig Quarry in Caernarvonshire.

That the church was built without the leadership of an ordained Presbyterian minister is another surprising fact. But we must remember that the ever watchful Griffith Ellis was just down the road in Bootle. Not until 1897 did the church call its first minister, the Reverend William Henry of Pontypridd, South Wales, and he was inducted on 6th July. In his first address published in the Annual Report he is complimentary of the teamwork and consistent effort made to clear the debts. Already he looked forward to the building of a new Schoolroom, to redecorate, ventilate and install a proper heating system for the chapel as with the crowds attending, the place was understandably stuffy. He felt confident of clearing the additional costs within a short period of time. His stated vision was 'to undo the bad works of the devil; to save and keep lost souls which I perceive to be our work on behalf of the Lord. We are to take all the armaments of God, always being prayerful and in the spirit'. He asked for their prayers for himself so that when he speaks he will be giving voice to the mysteries of the Gospel. There was a great surge in membership during the first year of his ministry. His wish for a new schoolroom, etc. was realised at a cost of £1,200.

An interesting advert appears on the cover of the 1897 Annual Report:

> 'A home for Welsh girls' at 'Gwalia', 2 Hope Place, Liverpool, under the supervision of interdenominational representatives. A refuge for young women to stay and receive guidance when first arriving in the city or having had to leave their employment. Enquiries to be directed to Miss K. M. Davies, Lady Superintendent.

The chapel was a hive of activity throughout the week with the Band of Hope for children, Prayer Meetings, Church Meetings, reading classes, choir practice and tonic sol-fa classes. There would be five different meetings each Sundays starting at 10 a.m. in the morning with a service and ending the Lord's Day with another service at 6 p.m.

Waterloo was being established as a residential area and members of the Church were very committed and generous not only to the Welsh chapel but to other organisations such as the Welsh Military Hospital; Transvaal War Fund; English Religious Causes; Temperance; Seamen's Mission;

Sunday School Union; Presbyterian Church of Wales Forward Movement; Missionary witness at home and especially the Foreign Mission based in India and the Bible Society. All these organisations received generous donations. The Church was vigorous and apparently had a good number of comfortably placed members. The Minister was handsomely paid and he and his family gave excellent service to the community. A Visiting Committee was formed to attend to their brothers and sisters surviving on the poverty line and especially the weaker members who was failing in their responsibilities to the church.

These were the exciting years of the Welsh Revival of 1904-6 with their origins in South and South West Wales, and the minister noted in his address:

> 'During the months of November and December our hearts were filled with joy on learning of the wonderful beneficial revival in Wales. These happenings have also had their effects here with more joining our congregation from the outside world than at any time in our history. We are stronger numerically than ever before and it follows that our influence within the community should be more positive'.

By the year 1906 the buildings were inadequate to cater for the needs of the church and in the following year a transept was added to the chapel and an additional School Room with a Caretaker's flat above. The whole building was redecorated and reopened in May 1908 with great celebrations. This was the last extension to be added to the chapel.

Chapter 4

The Ministry of the Reverend William Henry

THE REVEREND WILLIAM HENRY was the first minister to receive the call to Waterloo Church in the year 1897. Prior to this the Reverend John Pugh, B.A., became involved with the church after his retirement, through ill health from the church at Holywell and came to live at Seaforth with one of his children. He is shown in the Annual Reports as 'Minister of the Church' although it does not appear he received a stipend. He appears to have been a great help to the church leaders and to have encouraged them to appoint a minister. He died at the beginning of January 1891 so they did not rush to take heed of his advice.

From the very beginning the church was blessed with men of vision and realistic leadership. They were also very independently minded and tended to pay little heed to the rules and organisation of the Liverpool Presbytery – then called 'The Monthly Meeting'. They also tended at times to have rather public disagreements amongst themselves.

At the beginning of 1893 they arranged an Appointment Committee with a view to calling a minister to the Church. The committee consisted of the Officers of the Church together with nine householders who were to be elected by the membership. A list of sixteen ministers was drawn up but every one of them refused the invitation to consider the task of ministering in an urban situation. The Presbytery became aware of the formation of the Committee and insisted that it should come under its control according to the Presbyterian rules. Despite antagonism they had to comply and the Reverend Griffith Ellis, Bootle, became involved. He was a great help and devoted a great deal of time, effort and persuasion in enticing a Minister to the church. After having corresponded with a number of ordained ministers who were wary of accepting the invitation having heard of the stubbornness of the members at Waterloo he managed to convince the Reverend William Henry of Pontypridd of the benefits of the new Church. Within the correspondence he mentions, "Maybe it has come to your notice that some time ago matters were not quite easy and harmonious in the church but by now there is nothing for you to worry about regarding accepting the invitation." He went on to praise the Church, its members, the area and very importantly the circle of churches and ministers in the Merseyside region. He described the benefits of the Church with its 169 members with a very attractive range of activities and local Ministers exchanged pulpits on a regular basis with opportunities to preach outside the City occasionally. An additional bonus was to be able to be at home most Saturday nights although occasionally it would be necessary to stay overnight so as to be ready for morning service. After all Waterloo was a little 'out of the way' for the whole of Merseyside. The congregations of Liverpool were very receptive to good preaching. The Welsh population of Waterloo was not very big and the young women involved as servants were constantly on the move. There were amongst the members a number of well to do families in comfortable circumstances and the debt of the chapel was comparatively small.

In a letter dated 6th February, 1897, William Henry agreed to allow his name to be presented to the membership and in a vote of the congregation taken on the 23rd of the same month it was confirmed he should be called. Amazingly a full ten years after the building of the chapel the Church had passed before the appointment of a minister. The Church at Peel Road, on the border of Seaforth and Bootle, had expressed a wish to join with Waterloo as a pastorate and share the services of a minister but this did not happen. He arrived at the Waterloo Presbyterian Welsh Church during August 1897, and was immediately successful in all aspects of the work. The membership increased to the extent that the chapel needed to be extended with a gallery installed the following year at a cost of £1,331. Every aspect of the activities of the church were enhanced with new committees and work expanding in all directions under the leadership of William Henry and his wife. He was keen to establish a good library and gave and encouraged other to donate religious books and other quality literature. In 1909 he wrote what he called a brief history of the Church to be put in the library as a frontispiece to the Annual Reports to date. A translation of the full copy of this history is included in Appendix I of this book. His leadership seems to have quelled all the quarrels within the church.

The Welsh community and activities gathered momentum during the ministry of Reverend William Henry, but life in Britain at the time could be complex and difficult. There was generally plenty of work available but the constant changes created uncertainty in the life of immigrants. In the early years the minute books of the Church noted numerous instances where members were disciplined for drunkenness, immorality and failing to attend church services and meetings regularly. Several of the hearings were adjourned with the member being put on probation for a period. These hearings emphasise the importance of the church in the lives of members as leaving the church also could have resulted in the loss of employment and lodgings. Drunkenness was a real problem not only in the Welsh community but generally throughout the kingdom. This led to the sponsorship of the Temperance Movement by the churches and other social organisations and even the Liverpool City Police encouraged their members to 'Sign the Pledge' of abstinence. A motion was passed by Waterloo Church that communion wine should be non-alcoholic.

The Reverend William Henry served the Church diligently and wisely for 22 years although he received more than one invitation to minister elsewhere. At one time he was sorely tempted to enter the Missionary Service but satisfied his desire by working tirelessly on behalf of the Foreign Mission in North East India which had its offices in Faulkner Street, Liverpool. He was in his ministry at Waterloo throughout the period of the Great War of 1914-18 and his diligent work is noted in the next chapter.

He accepted the call to become the minister of a church in Port Talbot in 1919. He and his family were showered with gifts and would always return to Waterloo to celebrate special occasions.

Chapter 5

The Great War, 1914-1918

MANY OF THE YOUNG MEN of Waterloo Chapel volunteered to join the armed forces at the outbreak of the First World War and the support for them was shown by placing a 'Roll of Honour' in the porch of the chapel. Although there were pockets of opposition to the war the Nonconformist movement in Wales, on the whole it was soon fully committed to the cause of Freedom from tyranny led by the Welsh-speaking Prime Minister David Lloyd George and the Reverend John Williams, Brynsiencyn, who had served in Liverpool as minister of Princes Road Presbyterian Church of Wales, Toxteth, at the beginning of the century. He was a powerful preacher who held the honorary rank of Colonel in the Welsh regiment and wore an army uniform in the pulpit and in the courts of the Church as he campaigned for members of the denomination to join the War effort. The Reverend William Henry was active in ministering to those from the chapel serving in the forces through sending letters to them and organising others so they could send gifts, etc. At the conclusion of the war there was great rejoicing with special services and parties arranged to welcome home the heroes. Despite the war being prolonged – it was expected to be over in months – and bloody it hardly impinged upon the activities of the church; other than of course the anxieties of families and the *'hiraeth'* (a special Welsh word conveying sadness and longing) for those who gave their lives.

To some of the young men the war appeared as a grand adventure and an honourable escape from ordinary and often difficult lives. They joined the armed forces and the navy to defend Britain and Europe. The pride of their Church was reflected year after year as they were named in the 'Roll of Honour' in the Annual Report.

Despite the brutal close quarters fighting and artillery bombardment resulting in the death and injury of combatants on both sides its effects at home were marginal with news trickling through and sanitised as propaganda. Of course the anxiety became more intense as families and friends became aware of the losses at the front line in France but it was far away on the soil of a foreign land. Over time the work of the church intensified in offering comfort to members away from home and also catering for the needs of those Welsh recruits stationed in the many camps in the vicinity of Waterloo. It is believed that Ellis Evans known as *'Hedd Wyn'* a promising Welsh Poet from the Trawsfynydd area was stationed at the Litherland camp and quite possibly could have attended Stanley Road or Waterloo chapel before embarking for France. Sadly it was announced that he had been killed at Passchendale on 31st July six weeks before being judged to have won the Bardic Chair at the National Eisteddfod of Wales held at Birkenhead in the year 1917. As a mark of respect and mourning a black cloth was draped over the Bardic Chair and it is forever known as the 'Black Chair Eisteddfod'.

The Minister wrote in his address to members in 1914:

> 'We, as others, have felt with deep concern the effects of the war. By looking at the breadth of our personal war on land and sea and even in the air; it is as well to remember that this is but a part of a broader conflict; in which the Son of God is undoing the work of the devil, and we should all be engaged in this battle, both at home and overseas. By now a good number of our young men have volunteered for service with some already battling at the front line. They all have our support and urgent prayers. We as a church showed our interest and support for them in a happy manner by conducting an Organ Recital in November when each was presented with a copy of the New Testament and a gold pendant. Mr W. S. Roberts has prepared an ornate 'Roll of Honour' now being shown by the chapel entrance. Our deepest wish is for the Prince of Peace to restore a lasting general peace as soon as possible leading to the return of our brave boys coming home safely and without injury. At the same time we pray for the God of all Graces to bless their efforts and to guard their good repute.'

The following year he writes:

> 'A terribly tempestuous year in the history of the world. The Church of God continues to proclaim those principals which should lead to peace and understanding before long, although at the same time calling for us to strive, fight and bear the cross in sacrifice for the cause of freedom and righteousness. This last year will long be remembered by our church and the world in general as a time when the character of thousands were tested in the all consuming fire. The number of men enlisting has more than doubled and have been added to the 'Roll of Honour' to supplement those already giving of their best for their country. We add our prayer for the great number of our sons at sea and thank God that they have, so far, been kept safely.'

The 'Roll of Honour' containing 41 names remained in the chapel porch until we left in 2007. The number on active service grew from 24 in 1915 to 32 in 1916; then 38 in 1917 to its final number of 41 in 1918. It grew despite the growing list of casualties at the front line and at sea.

The church membership worked diligently to support their soldiers and those in the surrounding camps. Miss Heulwen Lewis used to relate how the members would take soldiers from the local camps to their homes for a meal and chat after Sunday morning service. The sick and injured service personnel within reach were visited regularly and much use was made of the Chapel Schoolroom with a weekly entertainments night for the troops each Friday. The Schoolroom was made available for the use of the military every Saturday afternoon. Many attended the Sunday services, the Sunday School and weekday prayer meetings with some taking part as was their custom at home. The address at the end of 1915 reported the minister to be confident that the war would end very soon. The number of Adherents, that is non-members, attending services during the war years fluctuated between 550 and 600, many of them coming from the local training and transit Army camps.

1916 showed the disappointment of the minister, Reverend W. Henry, with the continuing and worsening of hostilities but confirming his support for the soldiers and seafarers in these 'odd' times in the history of the world. He wrote: "We are showing much care, mainly through the efforts of the Sunday School, for those who come to us from the nearby camps and they are showing their appreciation by the number and tenor of the letters received from many places". This time there was sorrow for two dear members: Mr T. Williams, Tuscan Street, and Mr E. Jones, Ferndale Road, both killed on the field of battle. This sad news was again evident in the 1917 address with the statement that Lieutenant David T. Parry, "who had been committed to the work of the church had joined the victorious company of those in heaven who had given their young lives".

Parcels of provisions and comforts were sent to servicemen both in this country and in France at Christmas and other times. The accounts for one year showed £731 having been collected for various purposes including: The Missionary for Soldiers, payment for a bed in Southport Hospital for the use of the military and seamen, comforts for wounded soldiers in the Liverpool Hospitals; a donation to St Dunstan's Institutions for the needs of those blinded by the actions of the enemy.

The minister's address written in 1919 gives thanks to the Lord for having dispelled the dark clouds which had descended upon humanity four long years previously:

> 'Following the "Great Armageddon" a new world would ensue. We will forever remember with fondness and respect those brave souls who went from amongst us and gave their all for this country. We also remember those severely wounded and partly restored and others still far away facing dangers and decease quietly and bravely. We are concerned regarding the fate of Mr T. Henry Jones who had been missing for nine months'. (It was confirmed in the following year's report that he had been killed.)

There was relief and jubilation when the armistices was declared with celebratory parties for servicemen, children and members. An impressive Memorial Services was held for those lost in the battles on land and on the seas.

Chapter 6

The Gift of a New Organ

THE SINGING OF Hymns and Anthems has been a significant and important part of services in Welsh chapel services since the Methodist revival of the eighteenth century. By the following century the singing was usually aided by a small organ or harmonium. Waterloo Chapel had two of these harmoniums. They were at hand in the two Schoolrooms of the chapel. Waterloo and the larger chapels would eventually install new sophisticated pipe organs.

On 16th April 1914 the officers of the Church received a solicitor's letter indicating that a member, who wished to remain anonymous, was offering to purchase an organ as a gift for use in the chapel. A committee was formed for the purpose of receiving the gift and they met with a Mr Wood of Wadsworth Bros., 35 Oxford Street, Manchester, the company which was commissioned to design and install the organ. A supply of electricity was required for the organ and the opportunity was taken to install power to the whole premises for the first time.

Work on the organ progressed speedily and Mr Alfred W. Wilcock was appointed to oversee the work. On 4th October 1914 a letter was received from Mr Wilcock, Batchelor of Music (Durham), a Fellow of the Royal College of Organists and Licentiate of the Royal Academy of Music, London, "certifying that the organ had been finished by Messrs Wadsworth according to specification and wind pressures could not be improved upon. I take this opportunity of congratulating the church on the splendid instrument now installed". Mr Wilcock was apparently one of the leaders in this particular field and expressed himself to be more than satisfied. A search of the internet shows Mr Alfred William Wilcock to have been the organist of Exeter Cathedral for twenty years. He performed a classical recital on the organ to introduce it to the church members.

Such a valuable gift could not be kept a secret for very long and the minutes of the 'Organ Committee' for the 4th October – the day of its commissioning – shows a vote of thanks to Mr Owen R. Owen, Preswylfa, Hougomont Avenue, Waterloo, for his valuable gift to the church. His generosity went further in that he paid for the cost of the electricity for the organ throughout his life and made provision in his will for this to be continued. It can be surmised that Mr Owen was very fond of his music and in a letter to the church in 1922 he complained that not sufficient use was being made of the instrument.

On leaving the chapel in 2007 the organ was sold to Mr Christian Geob of Cologne for the sum of £1,000 – a fraction of its real value but better that than for it to be destroyed in the redevelopment of the buildings. I assisted Mr Geob in dismantling the instrument and knowing nothing about such things was utterly amazed at the details and workmanship involved. Before the work commenced he gave a recital and recorded all manner of sounds and his expertise was obvious. The organ had been maintained regularly but had been in need of a drastic and expensive overhaul for some time but which could not be afforded. The dust and wear and tear of nearly a hundred years of service was clear to be seen. The surrounding magnificent woodwork was carefully removed together with the *'Sêt Fawr'* (deacons seats) in front of the organ before the façade of the big pipes at the front were taken away.

I was utterly dumbfounded when a scroll appeared having been painted on the wall immediately behind the organ with the words 'SANCTEIDDRWYDD A WEDDAI I'TH DŶ O ARGLWYDD BYTH' (Holiness and Honour should be given to the House of the Lord for ever). An indescribable feeling took hold of me that we were now stripping our beloved chapel of its holiness after decades of preaching, praising the Lord and praying for guidance. The revelation of the scroll to me, which none of our members knew about, was a privilege and brought me humbly to a close connection with the many leaders and worshippers who had seen it before the organ was installed in 1914. Had it been there originally when the chapel was built or written when the chapel was redecorated shortly before the organ was installed? It is quite common for a short verse from the Bible to be inscribed but I have never seen these particular words before. Where are they from? The chapel is no longer a place of worship just a monument of what used to be, and hopefully one day will be a home for families to enjoy its great witness.

Over several days the organ was dismantled and I was amazed at the number of pipes measuring from several meters to about 25 centimetres. All were carefully laid out and packed for their journey to Cologne. The configuration of the console, bellows and other equipment, known only to experts in the field, had all been very tidily built. Mr Geob stated that the organ would be reconstructed not in its original form but would grace some suitable building in his City.

The organ was an important piece of equipment and written rules were prescribed as to who was allowed its use. There used to be a chief organist and a number of nominated deputies. Mrs Nan Lewis was the last and only remaining organist in our old chapel and she continues to play for us at our services in Christ Church. It is with sadness and pride that we remember her partnership with Bob her husband who held the position of Precentor – in fact he was the last person in any of the Merseyside Welsh chapels to hold this once prestigious office.

The organ console, which was separate from the general workings and in front of the Elders Pew was inscribed in beaten copper on the lid with the names of the members who had sacrificed their lives during the two world wars. The inscription stated that a 'Humane Vox' had been added to the organ in memory of the fallen. This memorial lid is in the care of the Reverend Margaret Quayle who spent much of her life as a member of the Church.

Chapter 7

The Ministry of the Reverend Howell Harris Hughes

SHORTLY AFTER THE Reverend William Henry left to take charge of his new church at Port Talbot, Glamorganshire, in 1919, a new Selection Committee was formed under the chairmanship of Mr David Parry with Mr Edward Roberts as secretary together with fifteen other members. They met on 22nd July and set out their wishes regarding the new incumbent:

> 'Our aim is to secure the services of a minister of the very highest calibre, a man who will accept responsibility for our Church and is considered to be amongst the most renown of the Methodist preachers. His arrival should be an attraction for our church and the Presbytery in general'.

Nineteen candidates were listed but four had to be withdrawn on the instructions of the Liverpool Presbytery as they were already in the service of local churches. The work did not progress very successfully and 34 meetings were held before the Reverend Howell Harris Hughes of Bangor accepted the call on 6th February 1921. Most of the difficulties were again caused by the Local Selection Committee insisting on conducting their work outside the rules of the Presbytery subject to the North Wales Association as was the case with their first minister. I gather from reading the minutes that the leaders of Waterloo Church, which had been growing in strength but probably not in influence, were a little envious of the other 'strong' churches in the Presbytery and were seeking to establish themselves as a force to be reckoned with. They were not going to be told what to do and how to do it! They were geographically a little isolated and on the periphery of Presbytery politics and power.

At the beginning of 1920 the name of an inspirational preacher, the Reverend R. R. Davies, who was a minister in a Welsh Church in America came to their notice. He was understood to be keen to return to Britain. A 'Cable-gram' was sent to Wilksbarre, Pennsylvania, on 1st February: 'Please cable whether open to entertain call Waterloo Church'. A positive reply was received. After his return to his home village of Llangeitho in Cardiganshire (the Mecca of Welsh Calvinistic Methodism) three Elders of the Church in Waterloo travelled 150 miles one way to interview and consult him. However, during a meeting in Waterloo on 29th February the famous preacher R. R. Davies informed all those present that he was in receipt of an anonymous letter from a member of the chapel highly critical of his preaching. Suspicion fell on a certain individual who was approached and advised, if responsible, to write immediately and apologise to the celebrated minister. This came to nothing and on 11th April the inspired Preacher of the Word of God, Reverend R. R. Davies, wrote withdrawing his candidacy.

The Committee again convened on 28th April 1920 with fourteen names to be considered. They voted and reduced the list to the Reverends M. H. Edwards, H. H. Hughes and R. W. Roberts. Several months later on 6th November, it was unanimously proposed to invite the Reverend Howell Harris Hughes, Bangor, to the Church. Again the Monthly Meeting of the Liverpool Presbytery voiced their dissatisfaction at the procedures the Church had adopted in making their choice and asked for a meeting to discuss the matter. The Reverend Dr D. Ben Rees suggests that the Presbytery opposed the appointment of the Reverend Harris Hughes on account of his anti-war stance. He had been involved with the pacifist magazine *Y Deyrnas* (The Kingdom) which had not been acceptable to the mainstream religious movement. Following a meeting the Presbytery grudgingly conceded that the call to Howell Harris Hughes would be accepted as another Liverpool church had endorsed his candidacy 'many years previously'.

Undoubtedly Mr Hughes was aware of the machinations of the committees when he accepted the call in a letter dated 20th December 1920. Further controversy ensued when the appointment was leaked to a church elder at Bangor before Mr Hughes had the opportunity of informing his officials and members. Pressure was brought to bear for him to refuse the move to Waterloo. It was a poor start with the Liverpool Presbytery not being fully supportive and grave suspicions among the Appointment Committee at Waterloo as to who had breached the confidentiality of their meeting. The minister was displeased and asked: "Since when has the Monthly Meeting had a veto on the affairs of the Church and men?" The situation worsened when a letter was received from the Secretary of the Liverpool Presbytery expressing surprise on reading in the *Liverpool Daily Post* that Mr Hughes had been appointed. It was pointed out that this was completely irregular as the 'voice of the members of Waterloo', that is a vote, had not yet been taken to confirm the appointment. The criticism was moderated with a note of their understanding of the urgency to secure the appointment and wishing that everything would be successfully concluded.

A few days later a letter was received from Mr Hughes enclosing a cutting from the *Liverpool Daily Post* announcing his appointment. These matters were newsworthy and a report also appeared in the *Manchester Guardian*! He wrote that it caused him some anxiety that a member at Waterloo had leaked his appointment not only to his members at Bangor but also to the press. He expressed his exasperation: "A church member is a reporter. Save us from this modern journalism. If there was a need for such a thing we should be saved from it – it does not respect anything." We are now as then in an age of prying and leaks to journalists producing both good and bad effects. He asked the Church Secretary David Owen to let the officials know of his displeasure and although enquiries were made nothing transpired except corrosive suspicion among the members.

The Reverend Howell Harris Hughes was inducted into the church on 11th May 1921. His stay was not long lasting but he and his family were very popular with the members, particularly the young people. He worked diligently on all aspects of his ministry and the membership increased from 357 to 382 during his time at Waterloo. He moved to take charge of Siloh Chapel, Llandudno, in August 1925 much to the sadness of the congregation who had taken the family to their hearts and showed their appreciation to Mr and Mrs Hughes and their two sons with many gifts.

Throughout the years most if not all the ministers of Waterloo and the Liverpool Presbytery had been keen supporters of the 'Foreign Mission' particularly to the area of North East India. Mrs Annie Myfanwy Hughes, the minister's wife, was at the forefront of this work. Their two sons were very gifted and immersed in missionary and church work. The eldest, the Reverend John Harris Hughes, became a well-known preacher and a powerful influence in the highest courts of the Welsh Calvinistic Methodists Movement. The other son, Dr Robert Arthur Hughes, returned to the Liverpool University to read medicine where he shone and won numerous awards and prizes. His studies took him to London where he enhanced his knowledge of Tropical Diseases before he embarked for India where he made a lasting contribution as a Medical Missionary. A fuller account of his contribution and career will be found in Appendix II. This influence undoubtedly resulted in another member, Nurse Ceridwen Edwards, Alexandra Road, Waterloo, entering the Missionary field.

Chapter 8

The Ministry of the Reverend David Stephen Davies, M.A.

THE REVEREND D. STEPHEN DAVIES was born into a deeply religious family in Aberporth, Cardiganshire, in 1887. He went to sea at a young age and on seeing the pitiful and deprived state of the slum dwellers in Calcutta decided that he should become a Missionary. He married Frances Blodwen (née Edwards) in 1914 and despite the war having started, they set off as Missionaries to Shangoong, India. In 1917 he was attached to the 'Regiment of the Labour Corps of Khasis' and went with them to the trenches in France where his health was seriously affected. On his return to India the medical authorities decided that his state of health was such that he should return home to Wales. In 1921 he started his studies for the Ministry at Mansfield College, Oxford, gaining a Masters Degree before commencing his ministry at Newport and Aberaeron.

He received the call to Waterloo Church during 1927 when its membership was at its peak and its activities in full flow. Despite this he began to voice his concern regarding the future both of the Welsh Nonconformist religion and the Welsh language on Merseyside. He was a most effective minister during those most difficult years of the 1930s Depression and the Second World War and remained with his church at Waterloo until his sudden and untimely death in 1950. He was both a missionary and socialist by inclination. He was also authoritarian in many ways and blamed the liberal element of the church for the general laxity of behaviour and a loss of the Christian faith in society. His contention was that what was lacking was more preaching and emphasis on hell and its all consuming fire. Many of those professing religion were absenting themselves from church services and using the Day of the Lord for pleasurable pursuits. We can now realise that he was quite a visionary though battling against the secular tide.

He was a talented man prone to long and deeply theological sermons but at the same time conscious of the social needs of his flock and they admired his dedication. Undoubtedly he drew on his experience of being a seaman, soldier in the trenches of France and missionary worker in Assam. In his first address in the Annual Report to the church he wrote of the difficult social and political climate in Britain. He railed against the unfairness of the capitalist system and was no doubt instrumental in sending a gift of £65 from the church in Waterloo to alleviate the suffering of the coal miners in North and South Wales who had been 'locked out' by the owners. His sympathy lay with the those who were suffering the effects of the depression and constantly uttered prayers for the bitter experience of the men, young and old, who were 'on the dole'. Despite these bleak conditions nationally and locally the church community had experienced a quiet year and apparently not been greatly affected by the suffering of the masses. He continued:

> 'This was the age where world peace, the foundations of morality, lack of work, the future of India and organised religion were burning topics for discussion. When times are hard the Gospel informs men how the grace of Jesus Christ supports us. Should the church cease to exist then the acknowledgement of God would also cease. There would no longer be any prayers – the singing of hymns; no one reading the Bible; no baptism or the blessing of marriage; no one to declare the resurrection to a better life at funerals; no one to teach the children the true meaning of life through Christ our Lord. Everyone would be pagans before long and the Nation would degenerate in every way. No nation can keep the faith without worship'.

He was a true prophet of the age in which we now live! Despite the economic difficulties of the time trips were organised that year by various Church societies to London, Lake Vyrnwy and Pentrefoelas.

How many of our present ministers and church leaders would feel concern about the condition of the faith and the future of the Welsh language with a congregation of 375 members, plus about 500 'listeners', and a Sunday School of 207 pupils with 22 teachers?

The scope of the church activities is reflected in the many committees and societies listed in its report. Apart from the main Sunday Services (morning and evening) these include the Literary, Music, Missionary and Temperance Societies; Band of Hope; League of Youth and Ladies Sewing club. Donations were made towards the Forward Movement; Loan Fund; Bible Society and Bootle Hospital. The care and discipline of members was conducted through the 'Visiting Committee' formed to visit and help those in need and those neglecting attendance or their religious duties. The whole area was divided into sectors with each sector having three lady representatives with an overseer.

The Jubilee Year of the church was 1929 and the Elders related this in the Annual Report thus:

> 'The year 1929 was an exceptional one in the history of our Church in that on 26th November we celebrated our jubilee. There was a general understanding that we should celebrate this in a proper manner by renovating the buildings and cleaning and painting the chapel. There was a general enthusiasm to raise the necessary funds and our efforts were successful beyond expectations. Others strived and you benefited from their labour. We have a good inheritance. The past calls upon us to redouble our commitment; we promise to give of our best today to deliver a safe tomorrow.'

An effort was made to include all section of the Church in the celebrations starting on Sunday, 24th November, with a children's service and continuing the whole week with services, parties, talks on the history of the Church and presentations. The Reverends William Henry and Howell Harris Hughes, two former ministers of Waterloo, presided and spoke at meetings and the past was brought alive with happy memories by the older members. There was an array of ministers from Merseyside and Wales delivering powerful sermons to the enthusiastic congregations. It was written that the spirit of the Jubilee was present and moved among the people:

> 'Looking back and remembering the great numbers who have been brought up in the church over the last fifty years, the question needs to be asked who can quantify the value of our mission and influence? With that in mind my dear brothers be assured and give bountifully when doing the work of our Lord for you know that your labour is not in vain'.

The Ladies' branch of the Foreign Mission also celebrated their Jubilee with a pageant in St George's Hall in 1930, they also held a concert and dinner at the Waterloo Town Hall to celebrate St David's Day.

A new branch of the 'Welsh League of Youth' was formed in the church overseen by Mr John Lewis and his daughter Miss Gwyneth Lewis. They were responsible for the 'diary of events' to ensure that the many activities did not clash. Members rented their pews and it was said that there were no vacant seats available! Indeed on the extension of the chapel building a dispute arose when a member having previously had a good position was unable to secure what he considered to be an equal position in the new set up. There was also much concern regarding the inadequate ventilation of the chapel for the main services such was the numbers attending.

As previously noted the Liverpool Presbytery was an important and powerful element in the Presbyterian Church of Wales and its General Assembly was held at one of its churches every third year. Yet not one of these was held at Waterloo although it was one of Liverpool's active churches. However, the church was granted the privilege of hosting the General Assembly for the first and only time in its history in May 1938. A great deal of work was required in organising the various meetings and services and catering for the needs of the 238 delegates over the four days. It was a great success. During this Assembly Dr Robert Arthur Hughes, FRCS, was introduced as the 'New Missionary' preparing for his work in India. He had spent five years of his youth at the chapel during the ministry of his father the Reverend Howell Harris Hughes.

Following the difficult years of the economic depression of the 1930s concern was now increasing as the threat of war with Germany loomed on the horizon. Stephen Davies was a constant and reliable rock for his congregation to rely upon throughout these two horrendous periods. His leadership was both practical and spiritual.

The story of the Second World War is related in the next chapter but it must be said that the attendance and influence of the church – indeed churches of all denominations both Welsh and English – receded on all fronts. The response of the population to religion and all aspects of morality waned as a result of the horrendous carnage of the war experienced by servicemen and civilians. Furthermore, advances in the scientific fields added to the doubts many felt about a 'Good God'. The membership of Waterloo Church fell to 400 with 60 children and about 25 casual listeners. Immediately after the war the General Assembly of the Presbyterian Church of Wales recognised the need for a great effort to stem the flow and launched an appeal for a fund for £100,000 to be used for work in reconstructing the Kingdom of God. Each church member was urged to donate at least £1.

In the year following the war Stephen Davies voices sadness in his address to members. The children were no longer attending Sunday and midweek services with their parents as had previously been the custom. All sorts of excuses were given from sitting still for an hour: a long way to walk, homework, and many other calls on their time. He chastises and warns the shirkers that the children may fall back even to 'Popery' or worst still they may be responsible for encouraging paganism. "For all their sakes, for us, the future of our country, the Church and the Holy Body of Christ on earth bring the children not only to the Sunday School but also to the services to teach them to worship and acknowledge the true God". The following year, 1947, his concern was regarding the moral and religious collapse of society relating the rise of materialism with communism and equating the lessening of the spiritual life of the people with their lack of zeal for Christianity. People were beginning to question the necessity for a church at all. His depression was expressed in "why do I bother with this address to the Church?"

The work of the Church did continue and with funding from the 'War Reparations' and other funds the damage caused to the buildings by bombing was redecorated and repaired. With the work completed services commenced during December 1948 when the minister and his family were presented with gifts in recognition of their work and loyalty over the preceding twenty-one years.

In August 1950 the Reverend D. Stephen Davies went on a visit to his sister in Cardiff so as also to attend the National Eisteddfod at Caerphilly. He was taken seriously ill and died in hospital on 19th September aged 63. He achieved a great deal during his life particularly when considering that his health was so fragile and the times and conditions he fought against were so fraught. He was in many ways a self-effacing man who in one of his addresses stated: "We should not boast about what we have achieved, but boast whilst remembering what we have received. They who laboured most were also most abundantly blessed". At the time of his death membership of Waterloo Church had fallen to 340 with 35 children but still with a strong Sunday School of 74 pupils. The Church Officials paid a wholesome tribute to him in the Annual Report for 1951 which also contained his photograph, together with an *'englyn'* (a traditional Welsh verse of four lines on strict meter):

A painful dark lamentation for the chapels –
Was the day of his death,
But for our brother, it was an honour,
The day – the instant of his coronation.

During his ministry Stephen Davies attracted many people to the chapel. One such person was the Reverend Oliver Thomas who came to Liverpool in 1928 to the post of General Secretary of the Foreign Mission in Faulkner Street. He was of great assistance to Stephen Davies at Waterloo despite having many problems with his own health and for many years having to attend to a bedridden wife. They and their two girls became members at Waterloo and lived at Maes yr Haf, Stanley Park, Litherland. He took a very active role in church and was named as the Assistant Minister in the Annual Reports from 1929. He died, as did Stephen Davies, in 1950, having strived with energy and good faith against all his difficulties.

Chapter 9

The Second World War, 1939-1945

FOLLOWING IMMEDIATELY upon the economic recession of the 1930s Britain faced the frightening prospects of the Second World War. Even with the knowledge of the carnage of the previous war eleven members of Waterloo immediately volunteered for service in the Forces or Navy and the same number joined in the following year. Hostilities started quietly and slowly and the air raids by the Germans were not commenced until 1940. However, preparation had been planned in anticipation of the conflict with recruitment to the armed forces, munitions production and the immediate evacuation of children away from what was considered to be the main targets – major conurbations and the docks. This meant Liverpool and in my case, London.

I remember being taken by my mother with my sister, Nellie, to a farm in the Norfolk countryside. Nothing happened and like the thousands of others from the main cities we returned home to London.

The bombing commenced in earnest and intensity in 1940 and those having returned from the original evacuation were on the move again but this time accompanied by whole families desperate to escape the blitz. Most Welsh people still had relatives and connections in Wales and many made their own private arrangements. Waterloo and Crosby were on the fringe area of the docks and considered to be fairly safe so that the Reverend Margaret Quayle set up a 'Children's Group' in the chapel. This changed with the heavy air raids commencing in August 1940 causing tremendous damage to the dock areas of Bootle, Seaforth and Waterloo. Many members of the church lost their homes but fortunately no one was killed or seriously injured. Stanley Road Chapel, Bootle, was razed to the ground on 4th May 1941 and Waterloo Church suffered substantial damage in 1942. The Manse at 1 Kinross Road was also damaged. Despite the damage Mrs Joseph Jones, the Chapel Caretaker, with the help of members cleared the debris so that services could be conducted in the Schoolroom. The extent of the general damage caused can be gauged from the statistic that 16,043 dwellings out of a total number of 17,119 in the Bootle Borough were involved and there was a similar percentage in the Seaforth and Waterloo areas.

A graphic account of the blitz can be gleaned from a letter sent by Mrs Maggie Roberts – the grandmother of our Treasurer, Mrs Elin Bryn Boyd – to her sister-in-law Dr Kate Roberts:

> 'November 23, 1940. We had an unforgettable night. The day was spent searching for bodies in the ruins of a nearby house. We believed the end had come. All the houses are covered in dust and soot. The street lamps are twisted as if they were bits of cord. Everyone stunned and feeling very upset without a wish to eat or do anything else. Many houses have been destroyed and the Independent Welsh Chapel has been completely flattened and all the windows of Stanley Road Chapel smashed. Thank you for your invitation for me to come and stay with you in Denbigh; I would love to come, but I cannot even think of leaving John and the children here on their own'.

The Second World War was very different from the First, with the enemy attacking the civilian population in their homes. It quickly led to the young men, and then many women, being conscripted to fight or support the war effort. Normal home and communal life was completely disrupted. This started almost immediately at the outbreak of war in September 1939 with the mass evacuation of children to the safety of the countryside. Most of the Welsh children of Merseyside were either evacuated with their schools or taken by or to relatives in Wales. The Sunday School almost ceased. The Reverend Stephen Davies tried to speculate on the positive side of the evacuation believing that the children would return to Liverpool fluent in the Welsh language having been immersed in the community. The Local Authorities on Merseyside had been tasked to arrange for the prompt evacuation of children and this was to be arranged through the schools. Teachers were to accompany each class and be responsible for all the needs of the children. Our late member, Miss Eirian Roberts, took her junior class from Christchurch Elementary School, Bootle, to Beulah in Mid Wales.

Church arrangements were completely disrupted and evening services could not be conducted because of the 'black-out' being enforced. The minister stressed to his members 'not to excuse themselves from attending chapel because of the war'. It was an extremely difficult time for all the churches trying to keep the fabric of the religious society intact. A document was produced by the Liverpool Presbytery, 'Helping Each Other', urging assistance should be given to those churches which had been weakened or were without a Minister.

Every aspect of life was under siege and the Minister, officers and the ladies of the church formed a 'Military Committee' to attend to the needs of members in the armed forces, the sailors and those members evacuated or because of other causes were away from home. They also catered for the needs of the Welsh soldiers in the surrounding military camps, a particular connection was made with the 'Liverpool Welsh Battalion' and the Royal Welsh Fusiliers camped in Blundellsands. They set up a 'Correspondence Guild' to send letters to the troops and a Book of Devotion was presented to each serviceman. Stephen Davies was the link between the families and would regularly send letters with news, encouragement and devotional messages to everyone away from home. Many acknowledgements and letters of thanks from both members and visiting soldiers were received. The ladies of the church busied themselves in providing gifts and comforts for everyone at home and away.

The Church became a centre of the general community for the collection of gifts and necessities for the servicemen. The list of provisions included; blankets, socks, helmets, belts, cuffs, mufflers, gloves, shirts, bed jackets and chest protectors. A list of the items sent to the camp at Brooke Road, Crosby, contained: '42 waistcoats, 71 pairs socks, 100 stamped post cards and pencils, underclothing, 40 quarts of cough mixture and 5 shillings worth of eucalyptus', indicating a very cold season!

Altogether a total of 60 members volunteered or were enlisted into the forces with their names included on the 'Roll of Honour'. The armistices was called in May 1945 and the committee reformed to celebrate the end of hostilities and welcome home the heroes and arrange memorial services for those who had fallen. Collections were made to finance the events and each serviceman of the Church was presented with an electric clock inscribed with the recipient's name and: *'Eglwys M.C. Waterloo. Arwydd gwerthfarwrogiad gwasanaeth yn y Rhyfel 1939-45'* (M.C. Church Waterloo. A token of our appreciation for service in the 1939-45 war). I wonder if any of these clocks still exist.

Numerous services and parties were held to celebrate the ending of the war. A Memorial Service was held on Sunday, 11th November 1945, for the three members killed in action, namely, Alun Rees Lloyd, William Eric Richards and Hugh Glyn Williams. The names of three others: Gwyn Jones, Emlyn Lloyd and Eric Lloyd Roberts, who had been brought up in the Church, were also included. Also included was Captain Caradoc Jones who lost his life at sea but it is not clear whether this was the result of enemy action. The names were added to the plaque in memory of those killed in World War One on the lid of the organ console.

The serious effect of the war on the life of the church and Welsh community is reflected in the addresses given by the minister in the Annual Reports over the following years.

Chapter 10

The Ministry of the Reverend R. Maurice Williams

FOLLOWING THE DEATH of the Reverend D. Stephen Davies the Church immediately set about calling a new minister. The Selection Committee minutes note that the work was successfully completed in 1951 when the Reverend R. Maurice Williams accepted the call from Bethesda Church, Cemaes Bay, Anglesey. A new manse was bought at 22 Myers Road West, Crosby, for the family which included his mother. Although not at its strongest Waterloo was still substantial church with 10 Elders, 323 members, 40 children with a Sunday School numbering in all 68, including 15 teachers.

There was as ever a constant movement in the membership as people moved from Wales to employment in Liverpool, though not as maids as in pre war days! Many left on retirement to return to their roots whilst others left the area for a better environment or facilities.

The Reverend Maurice Williams immediately proved to be hard working in every aspect of his calling involving church, cultural and community projects. In his first year he formed and directed a 'Drama Group', St David's Night Dinner, *Noson Lawen* (a Welsh variety show) and Christmas celebrations for all. He visited all his members in their homes and was intent on including everyone in his care, young and old, and even arranging an occasional English Service for relatives who could not understand Welsh. He was a true Christian Socialist committed to the support of the under privileged. A staunch pacifist and I am told that he drove in his Morris 8 to Pentonville Prison in London to transport Saunders Lewis to his home. Saunders Lewis was a Welsh Nationalist who had been imprisoned for his part in setting fire to a bombing school in Pwllheli. Like many others he was not the best of drivers and a real worry to parents as he transported the children to various venues.

In the Autumn of 1953 he started *Y Ddolen*, the Monthly Newsletter of the Church. It was printed by the publishers known as Hugh Evans and Sons, Stanley Road, Bootle, who did a great deal of work for the Welsh churches on Merseyside and elsewhere, invariably at a financial loss according to Mr Alun Evans, a member of Bethania and a scion of this famous family. The editor wrote in the first issue:

> 'The sole purpose of this small publication is for it to be a means by which the hand of God will strengthen the Church of Jesus Christ in our midst. We believe it will be of value to keep us in touch with each other and for the general purposes of the Church. It should be of value to each member and a great comfort to those unable to attend our services and other meetings. It will also be a link with those who are away from home.'

The first edition details Sunday Services including three Thanksgiving Meetings, tutorial classes for new communicants, Thursday prayer meetings, lectures and social evenings, Young Peoples Fellowship and a Sale of Work by the ladies. It reveals an element of co-operation with the neighbouring churches at Bootle and Southport in their community and cultural work. A number of plays were staged both by the Waterloo Drama Society and other companies at the Church. This local newsletter is still our means of informing the membership and others who have left the area of Church activities – now on a much reduced scale. Births, marriages and deaths were recorded and tributes paid to the departed, also news of the sick and those confined to care homes. Celebratory events were advertised and congratulations extended where appropriate. The minister expressed his delight at the positive response to the launch in the second edition.

R. Maurice Williams was committed to this type of publication and became involved with a monthly magazine *Y Glannau* (Merseyside) first published in January 1955 catering for all the 23 Welsh Chapels. This magazine was superseded in 1959 by *Y Bont* (The Bridge) which ceased publication when he retired as editor in 1979.

Fortunately our present Minister, the Reverent Dr D. Ben Rees, with a committee of local representatives launched a new local Welsh paper for Merseyside in 1979, and which since 1992 includes the Manchester Welsh community. It is appropriately called the *Yr Angor* (The Anchor). It is well supported and contains news, current affairs, cultural and historical items. The late Mr J. Alun Edwards an elder at Waterloo was its treasurer for many years.

The Reverend Maurice Williams was a poet steeped in the cultural life of Wales and would recite appropriate poetical verses for any occasion. He made every effort for the children and young persons to follow his example and created an *'Eisteddfod'* – a cultural competition – where participants would recite, sing and engage in traditional cultural activities. At that time there was a major children's *'Eisteddfod'* held at the Stanley Road Church, Bootle, and Waterloo members won many of the major prizes under his guidance. The report for 1956 notes that Eirlys Jones won the silver cup for the highest overall marks with Marian Owen and her sister Phyllis Weaver (who still attends our services at Christ Church) coming second and third. Gwenda Roberts (now Mrs Dunn) won the main prize for the under 10 year olds. I found a number of cups and shields from the 'Bootle Children's Eisteddfod' when clearing the chapel. The Minister held examinations in Welsh Language, scripture, and music with Phyllis again being top. The young people of the church, tutored by the late Miss Heulwen Lewis, came second in a drama competition held in the Crane Theatre, Hanover Street. Listed among the actors was the Reverend Margaret (Peggy) Quayle. Each area on Merseyside had a Welsh *'Aelwyd'*, a youth club, where they would meet socially and compete against other clubs. Waterloo won the *'Aelwyd'* Cup, the event being held in St George's Hall in 1960. They were obviously very accomplished and were chosen to take part in a popular Welsh Radio programme 'Stars of the Shires' – a prototype of the 'X Factor' maybe! Maurice Williams engaged with all kinds of people and events and arranged for Mrs Rosewarne, the Mayor of Crosby, who originated from Rhyd Ddu, Caernarfonshire, to give a talk to the Ladies Society.

Throughout the sixties the minister and elders struggled to stem the drift of members away from the church and having to plead for new members and financial backing. He wrote urging members to inform him of any Welsh persons coming to stay in the area as unlike earlier times people no longer sought out their nearest chapel. He experienced some success in that the Sunday School attendance increased to 68 pupils.

In 1964 Mr Gordon Short, a member and popular pharmacist in College Road, Crosby, presented the church with a printing block for the facia of the Annual Report. The original block had been lost when the building was bombed. He has been a constant and generous supporter over many years.

The meeting of the Presbyterian Church Association for North Wales was held at Waterloo for the first and only time in 1965. It is probably imprudent to ask why but undoubtedly Maurice Williams would have been instrumental in securing the invitation. It required a great deal of planning and hard work but reports indicate it to have been a great success. There were addresses by two outstanding young ministers, the Reverends Meirion Lloyd Davies and Arthur Meirion Roberts, both now retired and living in Pwllheli.

Over the years valuable gifts have been made to the church, one still in constant use was the Communion Set presented by Dr J. Eric Swinburn Jones, Southport, and Mr O. C. Somerville Jones, Huddersfield, together with an inscribed Bible in memory of their parents, Mr and Mrs Jonathan Jones. Mr Jonathan Jones was a leading elder and secretary of Waterloo Church for many years.

Attendance at the Sunday services and the number of clergy was decreasing rapidly during the 1970s. This meant that Reverend Maurice Williams at the end of his ministry had to care for Anfield Road Welsh chapel as well as for for the churches of Southport and Waterloo. Anfield Road Church subsequently closed in 1978 and most of the members joined Stanley Road chapel. However, its fine building was burnt to a shell by vandals shortly afterwards.

The centenary of Waterloo Church was celebrated in 1979 and for it the Reverend R. Maurice Williams wrote a short history. Concerning his own ministry he wrote:

> "I have seen great changes in the life of our church and also all the churches of Merseyside and in the quality of the Welsh community

in general since 1952. I am sometimes amazed how well the church has coped up to now despite great difficulties, even more so when comparing it with the strongest English churches who are fighting for their very existence. Tribute must be paid to the loyalty of those many members who regularly attend Sunday worship and mid week meetings. The many active societies that listen to and act on the appeals of our Church Officials. It shows generosity and love. It is obvious that from the start of the journey our church has been blessed with devoted and graceful elders. That is its true strength. Rarely can a church raise above the levels set by its official leaders. We revere their memories and appreciate their labours to this day; thank God for them. It pains me that space does not permit me to spell out the many virtues attaching to so many of our members and elders. "The one achieving the most is the one most blessed" are the words of my predecessor D. Stephen Davies. We enjoy the friendliness of the Gospel that ties the children, young people right up to and including the most elderly of our flock. This inspires and puts us to shame at the same time.

In common with all the Welsh churches on Merseyside we have our problems and the challenge is to meet these without despairing:

'The Lord is unchanging
Despite the storms of the world
Man may be fickle
But He is steadfast'.

We are people, at our best, who believe as a fundamental fact there to be inexhaustible resources in the name of Jesus Christ to deal with all the hopes of this sinful world. It should be the purpose of the church to continue His ministry on earth. That is our privilege. We can at least record that the church has published *Y Ddolen*, our newsletter continuously since 1953. The elders have distributed it to our homes regularly and we are agreed that it is useful and interesting in keeping us informed and in touch with each other.

We look forward to the future with faith, hope and love."

R. Maurice Williams retired to Llanrwst in September 1979 after 29 years of ministry at Waterloo and died there in 1986. He had been a fine servant of the flocks of both Waterloo and Southport Chapels, a pastorate that he took on the responsibility in 1952.

Following his retirement Waterloo became one of the Merseyside group of churches in the care of the Reverend R. E. Hughes, now of Nefyn. His responsibilities also covered Stanley Road, Bootle, and the three churches on the Wirral. R. E. Hughes, whose health was not robust, gave excellent service up to the end of 1989 when he was called to Tremadoc and Criccieth. He was an excellent preacher and his prayers were extremely special. About 40 members travelled from Merseyside to attended his induction at Tremadoc chapel, near Porthmadoc.

Chapter 11

Bethania Church, Waterloo, Liverpool, 1992-2013

BETHANIA PRESBYTERIAN Church of Wales came into being at the beginning of 1992 when the congregations of Stanley Road, Bootle, and Crosby Road South, Waterloo, united to form the new church. After the departure of the Reverend R. E. Hughes to Tremadoc in 1989 the two churches were experiencing ever greater difficulties in conducting their mission and maintaining the fabric of their extensive buildings. Each recognised the only feasible way forward was to unite in one church for the North of Liverpool. Predictably neither was keen to leave their chapel or lose their independence. Informal dialogue by the officials of each church for a union were rebuffed by the members of Stanley Road. A further effort was made in 1990 to move forward in a friendly manner when the elders arranged for a number of united Sunday Services to be held at the two churches.

The officials at Waterloo contended that the chapel at Crosby Road South was more central to the congregation and that its buildings were more historically important with its barrel vaunted ceiling. Stanley Road also claimed precedence being the 'mother church' from which Waterloo originally developed. Their buildings were also in better condition having been rebuilt after the second world war. The Baptist chapel in Balliol Road, Bootle, had recently closed its doors and Salem, the Independent Chapel on Hawthorne Road was about to close and was a most convenient and modern building with a capacity for about a hundred. An invitation was extended to members of Stanley Road Chapel to share the building but this was met with a stubborn resistance from the Liverpool Presbytery wishing to keep the Presbyterians together.

The problem came to a swift and unexpected conclusion when the Chapel House at Stanley Road was condemned as unfit for habitation. The caretaker left and within weeks thieves and vandals quickly made our stay there untenable.

It was decided that the two churches would unite and worship in Crosby Road South, Waterloo, at the start of 1992. On Sunday, 5th January, a special service, arranged by the Reverend Dr D. Ben Rees, was held at Stanley Road chapel, Bootle. This final service commemorated the witness of the Welsh Presbyterian Church in Stanley Road since 1870. Their first building had been situated on Miller's Bridge some six years previously. The full story of the Welsh people and the Church of Bootle is related in the two booklets *Camau'r Cysegr* (Strides of the Sanctuary) by E. Meirion Evans and Hugh Evans of the noted printers Hugh Evans & Son of Kirkdale. This was the end of a historical period for Bootle and its connection with Welsh religion. Many friends and former members attended the service and the three elders, Mr T. Selwyn Williams, Mr Dewi Garmon Roberts and John P. Lyons, took leading parts and related its recent history. The magnificent church was sold for £103,000 and redeveloped into offices whilst its structure was preserved. The war memorial was re-sited prominently within the grounds. All the Church records and documents were taken to the National Library of Wales in Aberystwyth. Through the vision and guidance of Dr Rees and the late Hugh Begley of the 'Merseyside Welsh Heritage Society' a plaque was secured outside the chapel to note and inform the people of Bootle of the building's importance in Welsh history. This was unveiled by the late Miss Eirian Roberts, a lifelong member, when she gave a memorable oration in a Service outside on the steps of the chapel on Sunday, 12th October 2003.

The officials of the new church convened for the first time on Monday, 13th January 1992, with Mr John P. Lyons as chairman. The Church was to be named 'Bethania' (most Welsh chapels in Liverpool were named by the area or street in which they were located). Officials were elected with John Lyons as Secretary, R. Alun Roberts as Assistant Secretary with Mr J. Alun Edwards as Treasurer. Mr Bob Lewis was chosen as Precentor with his wife Mrs Nan Lewis as organist – a post she still fills wonderfully at the age of 93! A consultative committee of lay members of both churches was formed. The Waterloo newsletter – *Y Ddolen* – which surprisingly still had a circulation of 120, was to continue under the editorship of Mr R. Alun Roberts.

A substantial church came into being with seven elders and 81 members. An excellent and harmonious start but membership numbers decreased year on year through deaths and retirements to Wales. Attendance at services also suffered as a substantial number of members were elderly and infirm. Although the financial pressures were initially eased they did not disappear for long. A survey of all church buildings by E. C. Harris was commissioned by the General Assembly Offices, Cardiff, and Bethania was required to make improvements and maintenance costing some £30,000 in the short term and a total sum of £120,000 overall. The writing was on the wall for its future.

In April 1992 Mr David Charles Williams, an elder, informed the church that he was leaving to become the caretaker of Cysegr Chapel, Bethel, in Caernarfonshire. This was the severance of a family link going back many years as his father, H. R. Williams, had also been an elder of Waterloo. David and his wife Margaret had been baptised, married and had nurtured their children in the chapel. By the end of that year membership numbers had fallen to 67.

Chapter 12

The Ministry of the Reverend Dr D. Ben Rees

On 10th February 1992 an elders meeting was held at Bethania Church, Waterloo, with Mr E. Goronwy Owen of Bethel Chapel, Heathfield Road, as chairman. The purpose of the meeting was to bring the two churches under the care of the Reverend Dr D. Ben Rees. Following the meeting the members were asked to vote and confirm the recommendation. This was affirmed and the new 'Liverpool and District' ministry came into being at the beginning of the following year.

Dr Rees has been the unofficial and in every way leader of the Welsh church and community on Merseyside for over forty years. He came to Liverpool with Meinwen his wife and young family in 1968 to take charge of Heathfield Road Church in Allerton and following closures and mergers became responsible for the whole of the Welsh community in the South of Liverpool. His capacity for work is prodigious having published about 70 books on religion and history – particularly relating to Welsh history of Merseyside. He was ordained fifty years ago starting his ministry in Abercynon in the Aberdare Valley and continues his mission with powerful preaching throughout Wales and beyond. Yet this exceptional man gives of his all to those in his care and I can recall him conducting a funeral service within days of his discharge from Broadgreen Hospital after major heart surgery. He was required by the rules of Presbyterian Church to retire at the age of 67 but he continued in his ministry as if nothing had changed, and carried on for another three years. Since then he has been part-time but he is involved as if he is full time. He preaches every Sunday of the year, preaches in Wales on the Festivals and conducts church and cultural meetings on weekdays, edits *Yr Angor*, the area Welsh paper and lectures in both Welsh and English throughout the country. A man of strong opinions he can argue with conviction on contemporary issues with the result he regularly contributes to programmes on radio and television in both languages. It is no wonder that he was for nineteen years the Secretary of the Church and Society Board of the Presbyterian Church of Wales, and his reports to the General Assembly at Lampeter and elsewhere attracted a great deal of media interest.He was for two decades involved with the British Council of Churches and came to know all the leading Church leaders on Merseyside and in the United Kingdom.

The service to induct Dr Rees took place at Bethania on Sunday afternoon, 7th February 1993, conducted by the Reverend T. R. Wright, Wrexham, Moderator of the local Presbytery. There was a strong representation from the whole Presbytery and Dr Rees' career was presented to the congregation on behalf of Bethel by the late Humphrey Wyn Jones, Secretary of Bethel Church. Mr Clifford Owen, Ellesmere Port, did the presentation on behalf of the Liverpool Presbytery. Prayers were offered for Bethania by the late Dr R. Arthur Hughes, the then Moderator of the General Assembly. Mr John P. Lyons, Secretary of the church and Mr Dewi Roberts welcomed the Reverend Dr Rees and his supportive wife, Mrs Meinwen Rees, to his new care and the Reverend D. Glanville Rees gave the charge to the minister and the local congregation. The Induction service was followed by refreshments in the Schoolroom. Thus the Reverend Dr D. Ben Rees became responsible for the entire city of Liverpool including the township of Bootle, a no mean feat.

One of the stalwarts of the church, Mr R. Alun Roberts, was honoured for being an elder of the Presbyterian Church of Wales in Liverpool for sixty years with a special service at Bethania on 10th May 1998. He had been an elder at Douglas Road Welsh Presbyterian Church, in the Anfield area, before its closure in 1974 and then came and joined Gwyneth his wife and family at Waterloo where he was Church Secretary until its merger with Stanley Road, and the creation of Bethania. It may sound strange but this was on account of his loyalty to his original church whereby Gwyneth's family (the Lewis's) were founder members at Waterloo. He was a Solicitor's Clerk by profession and was most extremely efficient as an administrator. Errors were not allowed to pass without comment or correction. His administrative abilities were utilised by various Welsh organisations in many ways and he produced for the Liverpool Presbytery the 'Skeleton Plan' where the many ministers and lay preachers were allocated to all the church services on Merseyside – a not inconsiderable task requiring skill and diplomacy. He was the editor and in most issues the author of our newsletter, *Y Ddolen*.

A huge loss was suffered in 1994 with the death of our Treasurer Mr J. Alun Edwards after a very difficult period of illness. Alun had taken the lead in negotiating the union of the two churches. He was one of the leaders within the Presbytery and would take devotional services as a lay preacher locally and in Wales. Many of the Church negotiations and discussions were regularly conducted in his home with his wife (both products of Anglesey), Mrs Menna Edwards hosting the meetings. He was a careful treasurer and would produce a 'two year plan' for our financial affairs. Mrs Menna Caton agreed to become interim Treasurer before Mr Selwyn Williams, who had been the treasurer at Stanley Road, took on the responsibility.

Difficulties appeared to pile upon each other, and at the beginning of 1995 Mr Richard Hughes, Myers Road East, notified the church that he would be stepping down as an elder after 20 years service on account of his deteriorating health. He loyally continued to attend services but was predictably forced to move to the care of his daughter in Tenby in 2001. His stay there lasted a matter of days before his death. His remains were returned to Liverpool and a requiem service was conducted by Dr D. Ben Rees, being assisted by 'Richie's' cousin, the Reverend R. Glyn Jones, Llangollen.

1996 brought another serious loss to Bethania with the death of another elder, Mr Dewi Garmon Roberts, Maghull. Dewi, his wife 'Bet' and their three children, Nia, Nerys and John, had moved to Liverpool from Penmachno to become Caretakers at Stanley Road chapel. Dewi Roberts soon obtained a managerial post with the Littlewoods company. A very sensitive and caring person, his prayers were always moving and meaningful. He originated from a culturally rich area in North Wales and excelled at reciting religious poetry. His death left three elders to look after the affairs of Bethania and it was decided to form a Consultative Committee consisting of the elders plus Mr Bob Lewis, Miss Eirian Roberts and Miss Hilda Pierce, with the Minister Dr D.B. Rees as Chairman.

The future strategy of the church came under discussion in October 1996 on account of the low membership numbers and the fact that Bethel, Heathfield Road, was planning to redevelop their site and build a new church incorporating a Welsh Social Centre. It was suggested that the two churches should formally unite on completion of the modernisation which was foreseen to happen in the early years of the twenty-first century. Two members of Bethania, Mr John P. Lyons and Mrs Mona Bowen (West Derby), now living in Aberystwyth, were elected to become members of the Strategy Committee at Bethel in 2001. Unfortunately the redevelopment of Bethel became embroiled in a legal controversy, and it dragged on for years. But we kept our partnership as a pastorate under the guidance of the scholarly preacher, Dr David Benjamin Rees.

The five hundredth issue of the newsletter *Y Ddolen* was published in March 1997, and we were so proud of a record that deserved to be remembered.

A survey by the 'Open University' of the numbers in attendance at Welsh churches was conducted on 16th March 1997. Bethania recorded five men and thirteen women at its morning service. Obviously the situation had deteriorated significantly in two decades and was a cause of great concern to the Presbyterian leadership in our local Presbytery where our minister was the longstanding secretary since 1972.

The year 2000 was anticipated with great joy and expectation by all Christians and we celebrated in many and various ways with special religious services and general spiritual festivities. Unfortunately the hoped for revival into the Christian fold never materialised. Indeed in August of that year a frightening event occurred when the spire of our chapel was shattered by a lightening bolt. What were we to understand by this portent? The damage was repaired and we carried on as usual.

Time moved on and our Treasurer Mr T. Selwyn Williams, Litherland, a very good living Elder steeped in Christian morality, and whose life had been burdened with having to give constant care to his wife, gave notice to the Church committee that he wished to resign as treasurer at the end of 2000 on account of his age and failing health. The church at Bethania was unable to fill the vacancy from among its members and Mr E. Goronwy Owen, Allerton, the treasurer of our sister church at Bethel, agreed to take the responsibility. This was an act of goodness which we appreciated. The work was in steady hands and the affairs of both churches were intertwined for after all we were a pastorate. He managed this successfully for ten years until his eyesight and heart disease forced him to retire from active participation. By now Mrs Eleanor Bryn Boyd, Aughton (who has been brought up in Stanley Road Chapel) and her husband Jim were in a position to accept the responsibility and they are currently doing the task in the tradition of J. Alun Edwards, T. Selwyn Williams and E. Goronwy Owen.

Chapter 13

Peniel Chapel, Southport, unites with Bethania, Waterloo

THE OFFICERS OF Bethania were informed in June 2000 that Peniel Welsh Presbyterian Church, Portland Road, Southport, were desirous of joining the congregation at the beginning of the following year. Again this was on account of a falling membership and the illness of its leader, Mrs Gwyneth Evans. The message was received reluctantly by Liverpool Presbytery which was getting smaller and assistance was given by the Moderator and Secretary in winding up the affairs of the chapel. It proved a difficult task as the inhabitant of the chapel house was reluctant to move out. It took a great deal of patience on behalf of the Presbytery and its solicitor, W. Raymond Williams, before it was finally sold.

A memorable final service was held on Sunday, 17th December 2000, in appreciation of the contribution the chapel had made to the life of the town since 1864. It had been established to cater for the needs of the young Welsh girls in service and the many visitors wishing to worship in their own language. Dr D. Ben Rees gave an interesting outline of the history and the Reverend Dr Elfed ap Nefydd Roberts, Wrexham, Moderator of the North Wales Association, gave the charge relating to the responsibilities to the enjoined congregations. Mrs Gwyneth Evans, the sole remaining elder of the Peniel church was present, but because of her weakness asked the Reverend Eleri Edwards, the Welsh chaplain for the Merseyside area at the time, to deliver her address. Mr John P. Lyons extended a warm welcome to the members of Peniel on behalf of Bethania and the Reverend D. Glanville Rees, who had extended care to the church at Southport for many years, offered prayers for the future of the congregation. Mrs Ethel Williams was the organist, a service she had given the

Church in Southport for many years. Following the service all the congregation were invited for 'High Tea' at the Prince of Wales Hotel, Lord Street, where there was much reminiscing, natural concern and an anticipation of future arrangements.

A service to welcome the Southport congregation was held at Bethania chapel, Waterloo, on Sunday, 7th January 2001, led by the Reverend Glanville Rees.

The health of Mrs Gwyneth Evans did not improve and she only managed to attend one service at Waterloo. She was devoted to the work of her Lord Jesus Christ and was at the forefront of the Missionary Movement, in particular the involvement of the ladies within the Liverpool Presbytery. She and the late Mr John Caradog Hughes had taken responsibility for everything to do with Peniel for the last years of the Cause and their welcome to visitors and preachers was always heartening. She became bedridden and was well looked after by her son, Mr David Evans. Her minister called regularly with his comforting ministry as he had known her and her late husband D. Cecil Evans (a native of Pencader in Carmarthenshire) for many years. She died during June 2004.

Only two members were able to join the congregation at Bethania, namely Mrs Beryl Gratton who after a few months in the new fold moved to be with her family at Blaenau Ffestiniog, and Mr Glyn Roberts. He had been the treasurer at Southport and had connections with many of the members at Waterloo from his early days at Douglas Road chapel, Anfield. He regularly attended services from Southport and later Formby being transported on Sunday by Mrs Phyllis Weaver. He died in September 2011 aged 93, and introduced his Minister at the Hospital by calling him the 'Welsh Minister of Merseyside'. Other members from Southport found great difficulty in attending services at Crosby twelve miles away and the Chaplain, the Reverend Eleri Edwards, conducted services for a period of eighteen months and gave them monthly communion as they continued to meet in each others homes.

The Union of Peniel with Bethania resulted in one single church covering all denominations to the Welsh of North of Liverpool and Bootle under the ministry of the Reverend Dr D. Ben Rees. His area of care extended from Widnes to Wigan, and from Southport to Garston (in size comparable to the whole of Anglesey) and the greatest praise that can be said for his dedication were the dying words of the saintly Glyn Roberts. This final union united the whole Welsh Christian Family though they were scattered all over the area and many of them were advancing in years, but still there was a remnant left with a core membership who could carry on in the power of the Holy Spirit and in their faith in the Lord Jesus. The hope for one united Welsh church for the whole of Liverpool District meeting together for worship in the Welsh Language has not as yet been realised but there is now a new chapel near Penny Lane called Bethel available should that day dawn upon us. But that chapel is nearly ten miles from Bethania, Crosby Road South, and the same distance from Seion Welsh Presbyterian Chapel, Laird Street, Birkenhead.

Chapter 14

The Crises Confronting the Church in 2002

THE BURDEN OF ADMINISTERING Bethania Church with its dwindling membership and costly buildings came under discussion at a special meeting convened on 7th July 2002. In reality it was more a review than a crises as the future needed to be examined and confronted. Membership continued to decrease due to deaths and the elderly becoming frail and housebound so that the average attendance at services was usually sixteen. It was felt that our worship had the quality of Methodism at its best with a friendly cooperative atmosphere whereby every member was supportive of the pulpit and its ministry. The activities of the church ranged from conducting their own services, rousing songs of praise, caring for and transporting members; publishing information through the *Y Ddolen* newsletter and *Yr Angor* monthly newspaper and the pastoral visiting to the sick and elderly. There was also a reasonable amount of social activity with dinners at Christmas and the St David's National Festival with a much appreciated Summer Party at the home of Mona and Evan Bowen in West Derby. We were offering the membership a reasonable service under the leadership of our Elder and Church Secretary John P. Lyons who also regularly represented the church in Presbytery and its committees and often at the North Wales Association meetings. We could not have given the enriching services to the members of Bethania without the direction and the capable spiritual and social skills of our minister Dr Rees and the financial oversight of Mr E. Goronwy Owen our treasurer.

The meeting concluded that the way forward was for Bethania to unite with Bethel when their redevelopment programme was complete. In preparation for this the meeting gave its approval for the officers to obtain permission from the Presbytery and then from the Properties and Financial

Committee of the North Wales Association for the Waterloo buildings to be sold. It was anticipated that the process would take many months and the membership was concerned regarding the consequences of leaving the chapel unoccupied for a lengthy period of time.

All was progressing satisfactorily and the Presbyterian Church of Wales authorities gave permission for the redevelopment of Bethel and the sale of Waterloo. As Bethania was a key element in the new development at Heathfield Road/Auckland Road, Liverpool, Mr John P. Lyons and Mrs Mona Bowen were heavily involved in the Strategy and Stewardship Committee of Bethel. The unfortunate legal wrangle that has gone on for the last eight years in connection with the 'New Bethel' meant that their new home was not completed until the end of 2011 – nearly a decade from our first meeting!

In October 2002 the church lost its eldest and longest serving Elder, Mr R. Alun Roberts. He was devoted to the work of the church and expressed more than once his true ambition to have been an ordained Presbyterian minister. His equally pious wife Gwyneth supported him completely, always giving thanks and praising the Lord. She was the daughter of Mr John Lewis, 5 Enbutt Lane, Crosby, one of the first elders of the church at Waterloo. Her sister Miss Heulwen Lewis continued to live in the family home until shortly before her death in 2010. She had been baptised by the Reverend William Henry, the first minister at Waterloo. Alun and Gwyneth's daughter, Mrs Gwenda Dunn, is still a member of Bethania.

Mr John Lyons paid a tribute in Welsh to Mr R. Alun Roberts in *Y Ddolen*:

> Our church and the Welsh chapels of Liverpool lost a true friend and a careful, conscientious worker with the passing of our Elder Mr R. Alun Roberts. He has left his mark on everything to do with the work of Jesus Christ in the churches of our City. I have copious notes of guidance as to my duties on taking over as Church Secretary at Waterloo. I would visit Alun and Gwyneth at their home in Milton Road to keep him abreast of chapel activities and would come away feeling the joy and benefit of their company and advice. His life revolved around his home, church and work. He read copiously and I inherited many of his books; mostly in Welsh and

mainly about religion but not exclusively so. He was an excellent administrator and this coupled with an exceptional memory made him an asset to any organisation. In his moving obituary to Alun our minister emphasized his commitment to his Lord and how he loved to listen to the Gospel. We can only repeat the words of the parable 'Well done you good and faithful servant'. His family and we the family of his church at Bethania will miss him very much. Gwyneth would always say, whatever the circumstances, 'That's how it is; we must always be thankful'.

Mr Alun Roberts had been the editor of *Y Ddolen* for over nine years but in May 2001 he reluctantly asked to be relieved from those duties. Mrs Mona Bowen, who was very active in every aspect of the work of our church agreed to take over the responsibility. She had been a teacher in the Liverpool area throughout her career and very much involved with Welsh culture and societies but also with her local community at West Derby. After the death of her husband, Evan, she moved to Aberystwyth to be near her son, the renowned harpist Robin Huw Bowen. She is still in touch with several of her friends on Merseyside and many of us have enjoyed her hospitality in her new home in that University town.

The end of 2003 brought the death of another of our elders, Mr T. Selwyn Williams, Litherland. His health had been failing for some time and he progressively had to give up his duties as an elder. He originally came from Maerdy in the Rhondda Fach Valley during the depression and lodged with members of his family in Bootle where he became a member, then an elder and treasurer of Stanley Road Church. He was an excellent treasurer and was the chief accountant with the firm of Littlewoods. With great fortitude and dedication he took great care of his incapacitated wife for many years. A man of strong convictions yet he was invariably pleasant even when in disagreement. He loved the chapel and delighted in relating the story of the heady days of religion both in the Rhondda Valleys and Bootle with his distinctive South Wales accent. A model Elder for us all.

Our church and services were again depleted on the first day of 2006 with the death of our Precentor, Mr Bob Lewis. He was in his element choosing the appropriate tunes for our hymns, an important position in every Welsh chapel. Sadly, with the demise of large congregations, very few of these precentors are left in Wales and he was the last among the Welsh Presbyterians in Merseyside. He had been a member of several choirs including *'Côr y Cymric'* which was renowned in Liverpool in days gone by. He was assistant treasurer at Stanley Road and Bethania and he and his wife Nan took on the responsibility of visiting the sick and infirm.

The position of the church was a cause of great and increasing concern and a meeting was called on Sunday morning, 29th January 2006, chaired by our minister the Reverend Dr D. Ben Rees. Present at this meeting were the following: Mr John and Marian Lyons, Mrs Nan Lewis, Mrs Menna Edwards, Mrs Menna Caton, Miss Hilda Pierce, Miss Heulwen Lewis, Miss Dorothy Williams, Miss Kitty Roberts, Miss Glenys Jones, Mrs Mona Bowen, Mr Alun Evans, Mr Glyn Roberts, Miss Margaret Rowlands, Mr Jim and Eleanor Boyd, Mr R. Elwyn Jones, together with associate members Mrs Pam McNamara and Mrs Phyllis Weaver.

An outline of the development of the situation since it was decided in 2003 to merge with Bethel, Heathfield Road, was given by the Secretary, Mr John P. Lyons. The redevelopment plans had been refused by Liverpool City Council and the future was unclear. There was little prospect of an early settlement.

The membership of Bethania continued to decline and the fabric of the buildings was deteriorating to the extent that we could not continue to worship there for much longer.The members were asked to express their wishes as to what arrangements should be made for the Church in the interim period. The wishes of most was to continue worshipping locally, possibly in rented accommodation.

It was inevitable that we should leave the buildings as soon as practicable and recommendation was given by the meeting for them to be sold subject to the decisions of the Presbytery and the *Sasiwn* (Association). The procedure permitting the sale of the Property was put into action and approved by the various bodies and their committees. It took a long time, yes, to June 2007 for the buildings to be put on the market. Notice of Sale were displayed outside the building. These were taken down during August when the last funeral service at the chapel was conducted for Miss Hilda Pierce, who had been an integral part of our community.

Chapter 15

Across the road to Christ Church

THE TIME CAME TO LEAVE our beloved chapel at Crosby Road South, Waterloo, when a Service of Thanksgiving for the buildings was arranged by our minister, the Reverend D. Ben Rees, for Sunday afternoon, 28th October 2007. It was presided over by Mr Rheinallt A. Thomas, Menai Bridge, Anglesey, the President of the North Wales Association. A good number gathered to honour the occasion amongst whom was Mrs Dela Jones, Culcheth, the daughter of the Reverend D. Stephen Davies, minister of the church for many years. A large framed photograph of the Reverend Griffith Ellis, Stanley Road, who was a key figure in the establishment of the chapel was placed in front of the ornate pulpit. Following the service the congregation gathered for refreshments in the Schoolroom to reminisce, renew acquaintances and recall the old 'days of glory'.

Immediately following the service it became the responsibility of the Secretary, Mr John P. Lyons, to preserve the important and historical books and documents. Some items were from the earliest days of the cause at Waterloo, but unfortunately some of the minute books were beyond salvation. There were literally hundreds of Welsh hymn books and Bibles many of which had been personal treasures to their owners, some given as family presents, others having been presented to a new communicant at a special service or a prize for the Scripture examinations. They had been deposited at the church by a member of the family unable to dispose of them in any other way. It was a very uncomfortable duty to have them recycled. The multiplicity of activities could be found throughout the buildings with scenery for dramas, sporting equipment, and all the paraphernalia one expected of an active society.

Mrs Mona Bowen had decided to transfer her membership to Bethel on the closure of the chapel. This was inevitably for our community a great loss, for Mona was a very active member who had also edited *Y Ddolen* newsletter. She wrote:

> 'This is the last newsletter I shall prepare for you. It's been a pleasure bringing you the news these last six years. I feel it's timely for me to move nearer home to Bethel, Heathfield Road. My last fourteen years with you have been very happy and I leave with mixed feelings. The time will come when I can no longer drive to services so I consider this a practical step. My thanks to everyone at Waterloo who have been so supportive of my efforts and allowing me to be of service to you'.

Mr John P. Lyons took over as editor. In his first issue as editor he thanked Mrs Mona Bowen, emphasising how she had brought her own unique style into the publication. It was not the easiest of tasks to gather and disperse the news so as to be of interest to everyone who read it but she had managed to do it for six years. Not only had we lost her as editor but also as an effective and committed member in the organising of social events plus transporting other members to church on Sunday and other gatherings. She was leaving a huge gap and we could only express our thanks for what we had received.

Waterloo chapel and buildings were transferred into the ownership of the redevelopment company of Mr Frank Rogers on 19th May 2008.

Our Minister, Dr D. Ben Rees, had arranged with the Reverend Gregor J. Cuff, the vicar of Christ Church, for the Welsh congregation to hold their services in the Anglican church. Conveniently Christ Church is situated directly across the road from Bethania with the result that there was little disruption to our usual routine. Our first service at Christ Church was held on Sunday, 4th November 2007, and led by our friend Mr Humphrey Wyn Jones, Bethel. His address was about losing and rediscovering what was lost and as a consequence treasuring it even more. We were thrilled with our new surroundings and continue to this day to be delighted with the arrangements made on our behalf.

Christ Church is compact and relatively modern Parish Church with excellent facilities. What is more the leadership of Christ Church and all the faithful members make us feel really welcome, with many of them having Welsh family members or other connections. The Church Magazine for December/January 2008 noted our arrival with: "Welcome to Bethania Welsh Presbyterian Church, Waterloo – Christ Church extends a very warm welcome to Dr D. Ben Rees (Minister) and John Lyons (Elder) and members, in what will be a sad time in leaving their 100-year-old building and pray that they will soon feel settled in their 'new church home'."

A special service was held on 14th December 2007 in appreciation of our Minister, Dr D. Ben Rees, who was officially retiring from full time ministry at the beginning of 2008. Presentations were made to him and Mrs Meinwen Rees followed by a celebratory dinner at the Royal Hotel, Waterloo. Although officially retired Dr Rees diligently continues on a part-time basis to look after his flock as if nothing had happened. Indeed, he became Moderator of the North East Wales–Merseyside–Manchester Welsh Presbytery known in the denomination as *Henaduriaeth y Gogledd-Ddwyrain* for 2009!

In January 2008 another great connection with our past was lost with the death of Miss Eirian Roberts, Bootle (and fond aunt of Elin Bryn Boyd), at the age of 88. She had been a much loved teacher to hundreds of children in Christchurch School, Bootle. Her views were respected as she was a dedicated, strict yet rather jolly personality. She knew everything and everyone at the Stanley Road Chapel and was, like her mother a font of all knowledge. She was a leader in events at the *'Eisteddfod'* and other cultural gatherings and excelled at the traditional Welsh Folk Dancing. A traditionalist who would follow the quaint old Welsh custom of bringing some provisions to the home when a bereavement had occurred. Born and brought up in Bootle she spoke classical Welsh with a 'proper' Caernarfonshire accent. That same month saw the death of Mr Evan Bowen, another of the many Welsh teachers who have given so much to the children of Merseyside. A Vice-president of the Liverpool Welsh Society he gave unstinting support to Mona and to any of our members as required. He loved visiting the sick and those who were unable to attend the regular services. He hosted the 'Summer Party' at their home in Eaton Road and we would leave with flowers and plants from his well kept garden. The great respect for Evan was shown when a special evening was devoted to his memory by the Liverpool Welsh Society. We also lost Mr Elwyn Hughes, Aughton, in July

2009 who had been an elder at Rhuddlan in the Vale of Clwyd earlier in his life. It was a pleasure to hear his melodic voice in the congregation.

Many of the Presbyteries were enlarged at the beginning of 2009 and we on Merseyside became part of the North East Presbytery encompassing Flintshire, Wrexham and Manchester. Mr John P. Lyons had the honour to be elected Moderator for 2013, the third elder to have the honour following Dr Gwyn Rees Jones, Manchester, and His Honour Eifion Roberts, QC, of Chester.

A copy of the first edition of *Y Ddolen* newsletter dated October 1953 was published in May 2009. It disclosed how very much the work of the church has diminished due to a falling membership (329 compared with 26) and the activities other than weekly Sunday Services were minimal. Unfortunately this is true of most churches of all denominations both Welsh and English and the last Welsh Independent Church on Merseyside, namely Tabernacl, Woolton Road, Wavertree, closed on 1st August 2009. At the beginning of the year 2013 there remained 20 members including the only elder, Mr John P. Lyons, and of these ten attend faithfully the Sunday services. This is augmented by the attendance of Mrs Phyllis Weaver, from Ainsdale, also willing at all times to collect members of the Church who need transport. There are other individuals who keep in touch by attending when they can or supporting our witness in other ways.

A running commentary on the life of the Welsh Church at Waterloo can be gleaned from the almost complete Annual Reports, *Y Ddolen* and various minute books, but much of the real story has been lost with the passing away to glory of hundreds of its members.

Our life at Christ Church could not have continued in such a good atmosphere but for the good will of the vicar the Reverend Gregor Cuff and his active Church Wardens, Mr Derek McLoughlin (and of course his wife Pam) and Mr Jim Burston. They are a God Sent Gift to us in every way. The congregation in general welcome us with a cheery *'Bore Da'.* Everyone was so helpful to our disabled member, Miss Glenys Jones, who now unfortunately after many years of struggling is unable to attend due to the austerity measures implemented in the last eighteen months. We are invited to Christ Church 'special services and events' and we were especially blessed when Reverend 'Greg' served the Holy Communion to us in Welsh. We do not, and we could not ask for more. 'Our Cup overfloweth'.

Chapter 16

The Minister and Members of Bethania Chapel in 2017/18

AT THE START OF THE YEAR 2012 there were 23 members and two associate members belonging too Bethania Presbyterian Church of Wales at Waterloo. We lost three loyal members in the previous year, namely Miss Heulwen Lewis, Mrs Gwen Roberts and Mr Glyn Roberts. Mrs Gwen Roberts was our eldest member having passed the age of 101 years. Miss Heulwen Lewis had the longest connection with the church at Waterloo and Mr Glyn Roberts was our last connection with the church at Southport.

The Emeritus Reverend Professor Dr D. Ben Rees is our minister having also the care of Bethel Church, Heathfield Road, Allerton. Dr Rees has given sterling service to us and the Presbyterian Church in Wales, the Welsh community on Merseyside and to the general life of the whole City since his arrival from South Wales in 1968. He arranged for the Reverend R. E. Hughes to take care of the Welsh churches of North Liverpool and the Wirral which proved to be beneficial to all concerned. When the ordained ministry became thin on the ground he organised a course so that lay members could have the confidence and training to officiate at the services and they continue till now to give valuable service. The Welsh Chaplaincy service was also initiated under his guidance and produced outstanding candidates the first being John Sam Jones, now of Barmouth, followed by his own son Dafydd Llywelyn Rees, then Ms Rachel Gooding, Reverend Eleri Edwards, Manchester, and Reverend Nan Powell Davies, Mold, who developed the after care service for prisoners in North Wales. The Chaplaincy was a feature of our Welsh community from 1984 to 2013. They all gave valuable service in the City's hospitals, to the elderly, prisoners and in the pulpits of the Welsh chapels. Welsh people in general link Dr Rees and Liverpool as an item and he has brought much credit to the City of his adoption. His achievements are far too numerous to relate in this book. He was ordained into the Ministry of Jesus Christ fifty years ago and despite his manifold interests his enriching ministry always takes precedence. A renown historian he has published numerous books on the Welsh Churches of Merseyside and the many famous Welsh people connected with them and the life of Liverpool. His latest publication was on the life of John Calvin of Geneva. He enjoys the support of his wife, Mrs Meinwen Rees who was an influential secondary school teacher in the deprived Liverpool 8 area for many years. They have two sons, Dafydd who has a leading role in the media and Hefin a barrister who has recently been appointed Queens Counsel. They have achieved much and are a credit to their upbringing.

Sadly and suddenly on 13th January 2012 our *'porthor'* (welcomer at the door) Mr Richard Elwyn Jones, Gloucester Road, Bootle, died in Fazakerley Hospital in the presence of his family and Dr Rees. Wyn as he was fondly known, joined with us on the closure of the Welsh Baptist Church in Balliol Road, Bootle. He was a lovely, friendly man and willingly gave his all in the service of his Lord. He taxied our members and others to services and to meetings far and wide, his last such journey being to a Ladies Missionary Rally in Llangefni, Anglesey, a few weeks before his demise. He was not fluent in the Welsh language but knew sufficient to enable him to communicate his thoughts and wishes as he had attended Welsh services throughout his life. A very sociable personality and extremely popular with the English congregation at Christ Church. His funeral was testament to the very goodness of Wyn and the high regard in which he was held. He was laid to rest with his family at Bootle Cemetery.

The secretary of the Church and its only elder is Mr John P. Lyons. Evacuated from London with his sister Nellie and brought up in Anglesey he was inducted into the Presbyterian Church of Wales when he married Marian whose father and grandfather had been elders at Bethphage Church, Holyhead. As a policeman John transferred from Caernarfon to Bootle in 1966 and became a member at Stanley Road Church where he was elected an elder in 1973. He has represented the Church and Presbytery at every level and is currently moderator of the North East Wales Presbytery. Marian is very supportive in every way and generally prefers to work quietly in the background. They have three children, Susan, Helen and Mark, and four grandchildren.

Mrs Eleanor Bryn Boyd, B.A., Aughton, is the treasurer of the Church and is assisted by James (Jim) her husband. She was brought up in Stanley Road Church by her late parents John Bryn Jones and Margaret (Peggy). Elin is a direct descendent of the late Dr Kate Roberts, one of the foremost Welsh novelist, and her aunt Miss Eirian Roberts kept in touch with the family at Rhosgadfan, Caernarfonshire. She is one of those rare third generation Liverpool Welsh folk still fluent in the language. Elin and Jim were the last couple to marry in the chapel in Waterloo. Jim does not properly understand the Welsh language but he gets the 'gist' and regularly attends services and our Bible Study Group and sees to all the tasks for the smooth running of the organisation including Wyn's welcoming duties at the Church door.

Mrs Nan Lewis is our Church organist and has performed this duty in various chapels in north Liverpool for over seventy years. She is a lively ninety-plus-year-old, loves to socialise and willingly takes on extra duties such as being responsible for the distribution of the Welsh newspaper. Another true Liverpool Welsh person and completely fluent in the language. Originally a member of Walton Park chapel then she became a member Stanley Road and since amalgamation a staunch member of now Bethania. The partnership with her late husband Mr R. D. (Bob) Lewis in leading our Songs of Praise was of the highest calibre and they also took on the duty of visiting the sick and housebound.

Mrs Menna Caton spent many years as the daughter of the chapel House of Waterloo. Her parents were the Chapel caretakers and so Menna has a unique knowledge of life at the centre when the social, religious and spiritual life were thriving. Mr and Mrs Gwilym Evans came with their children Menna, Mair and Arthur Wyn from Wales to the Chapel House at 2A Sandringham Road in 1963. The honorarium was £120 per annum together with the free tenancy of the flat. She recalls high standards being set by her parents appropriate for the holders of that important position. They were a well respected family and Gwilym Evans was elected an elder in November 1967. With a membership of 274 and with 52 children led by the very active minister Reverend Maurice Williams the tasks were never-ending and it was no easy task to keep everyone connected with the chapel satisfied. The buildings needed to be heated by means of the manually loaded coke boiler, pews dusted weekly, brasses rubbed, flowers arranged and the doors opened half an hour before services morning and evening as well as for the many week day meetings. They were also responsible for setting the Communion Table and she recalls her father cutting the bread to the exact size and as a treat the children were allowed to eat the crusts! At the end of the service Mrs Eirlys Evans would quietly leave and return to the vestry with a pot of tea and biscuits for the preacher – best crockery all neatly arranged. As the children attained a certain age and maturity they were privileged to carry out some of these duties with a charge that it must be done absolutely properly. Menna was married in Waterloo chapel and it was in the Schoolroom whilst assisting with some task that Peter, her husband, asked her father for permission to marry his daughter. Up to the very last service in the chapel at Waterloo Menna sat in the family pew near the vestry entrance ready to deal with any eventuality. Her mother, Mrs Eirlys Evans, retired to live in Colwyn Bay and regularly visited us and sat in her usual place. It saddened her to see that the brasses were not as clean and shiny as in her days of care.

Mrs Menna Edwards came to Liverpool from Rhyl in 1972 with her husband Alun and the children Jennifer and Lewis. Alun was elected an elder in 1976 and became Treasurer of the Church. He was influential in the Welsh church and fully engaged in the social and cultural life of the community. Many of the committee meetings were held in their welcoming home at Channel Reach. Jennifer (Cunningham) still lives in the area with her husband David and two exceptionally talented daughters Bethan and Meriel who were brought up and were the last to be baptised in Waterloo chapel. The family, indeed the whole community, were devastated when Lewis who was a student at Edinburgh University died suddenly at the age of twenty on 16th April 1985. A brilliant and popular student as evidenced by the great number of his fellow students and staff who travelled from Scotland to be at his funeral. Menna and Alun alleviated their *'hiraeth'* as well as expressing their pride by publishing the work of their beloved son in a book *'Symbols of Resurrection'*. Mrs Menna Edwards is among the most loyal and supportive of our congregation but at the same time will not hesitate to let us know when 'things' are not as they should be.

Mr Alun Evans is now the member with the longest association with the Church at Waterloo. A member of the very famous 'Cwm Eithin' (Gorse Glen) family of authors and publishers Hugh Evans & Sons, Stanley Road, Bootle. Through his work with the company Alun is knowledgeable of most things to do with the Welsh churches of every denomination in Merseyside and beyond. They rarely made any profit from their work for the churches and seemed to count it as their contribution to the Welsh community. His grandfather and uncle were responsible for editing and publishing the history of Stanley Road Church, Bootle, in two booklets titled *'Camau'r Cysegr'* (Development of the Sanctuary). Alun was evacuated near to Bala in Wales during the Second World War to stay with members of the family and it was there that he met with his wife Mrs Kitty Haf Evans. Just before Christmas 2012 Mrs Evans passed away at home in Crosby after a long period of illness. The couple had been married for sixty years and had three children, David and Susan who live at home and Gwenda (Collier) a district nurse in the Valleys of South Wales. With his all encompassing knowledge Alun should seriously consider writing his autobiography for the benefit of future historians.

Miss Glenys Jones regularly attended services and other social events up to a year ago. She is resident in a care home at Stoneycroft. Life has not been easy for Glenys but she is of a cheerful disposition despite being disabled most of her life. She was brought up in Anfield in a Welsh village type community where the language was regularly to be heard on the streets. She attended the Douglas Road Church and on its closure came to Stanley Road, Bootle, and then on to Waterloo. We and the English congregation at Christ Church miss the presence of Glenys who would often arrive early at Crosby Road South and be present at their morning service because of the transport arrangements. Morning service for Bethania starts at 11.15 a.m. immediately after that of Christ Church. Her only relatives are her sister in law Mrs Lorna Jones who lives in Llandudno and her two sons Ifan and Robin. For many years John and Marian Lyons have attended to her needs locally.

Mrs Pam McNamara is one of our younger members and is so dependable in our congregational praise and is always at hand to read from Scripture. The product of a truly Welsh cultural home in Bootle she was brought up in the atmosphere of the chapel and *'Eisteddfod'*. She possesses a 'scrap book' from early childhood of her successes in singing, recitation and knowledge of the Welsh language. The results of the St David's Day *'Eisteddfod'* were important and published in the *Bootle Times and Herald*. Her father, Evan Williams, a schoolmaster and talented choirmaster, died at an early age and she experienced the deprivation resulting from this. Her mother Mrs Bet Williams nurtured Pam and her brother David so that their lives became fulfilled. Pam possesses a deep faith and is a prime contributor to our 'Bible Study' courses held by her brother the Reverend David Williams, the Anglican Chaplain of Alder Hey Children's Hospital. David regularly conducts our services at Bethania and leads our Bible Study group. Both maintain their connection with the family at Corris and Abergynolwyn in Merionethshire and recite with delight the Welsh hymns. Pam's husband Tom is supportive of our activities.

Miss Margaret Rowlands came from Blaenau Ffestiniog with her mother in 1955 to join with her sister Ellen in Crosby. Her aunt Mrs Wilkinson, Curzon Road, had been in Liverpool for many years and was a member at Waterloo. The newsletter notes Ellen's arrival earlier in 1954 and that she had become a member of the Church. It was also noted that her other sister Joan had arrived from Singapore but would be returning there shortly and getting married. In the March issue of *Y Ddolen* a warm welcome was extended to Miss Margaret Rowlands, her mother Mrs Elizabeth Rowlands and grandmother Mrs Catherine Morris. Margaret is quietly supportive of every good cause and does charity work in the Waterloo area.

Miss Dorothy Williams, Blundellsands, is a gentle and sincere personality and very grateful of her connection with the Church at Bethania. She was brought up like so many others from our congregation in the chapel community of Douglas Road, Anfield. With her late sister, Mrs Gwen Roberts, they lived a full life and would be seen at every service and church meeting. In her last few years her sister had to receive nursing care and we were deprived of their presence together at Waterloo. The Douglas Road years were very precious to both sisters and they would often discuss and relate how the Welsh community used to live in those happy, and much more religious and cultural days of yesteryear. But Miss Dorothy Williams is an extremely appreciative member, well loved by a large number of friends in Crosby, Waterloo and Blundellsands. She loves a powerful sermon in the Welsh language.

We fondly remember the commitment of Miss Catherine (Kitty) Roberts, now in a care home in Anfield. A lifelong Christian of conviction she gave of her best as a supporter of our Foreign Mission in North East India. She and her late brother John were originally members of the Welsh Missionary Hall at Bankhall which was a branch of Stanley Road Church, Bootle.

Mrs Gwenda Dunn, Eccleston Park, is the only surviving member of the Lewis family who were involved almost from the start with the Cause at Waterloo. Her parents Mr Alun Roberts and Gwyneth (Lewis) were a devout couple who nurtured Gwenda under the protection of their devotion. She was a nurse and as the only daughter gave great care to her parents and they doted on her. Her longstanding, indeed lifelong friend the Reverend Peggy Quayle assisted in this care and was given the honour of conducting the funeral service of her mother.

Mr Gordon Short, Crosby, is one of the most generous supporters of the Church. He has lived a busy life and he is so caring and has been a servant to his community. He has been a member of the Welsh church over many years, and before coming to us he belonged to the Welsh Presbyterian church in Chapel Road, Garston. He was recently widowed from his dear wife Olive. A pharmacist of distinction he still lives in College Road, Crosby, where his son Geraint has followed in his footsteps. Well-known in the area as a good neighbour he was feted on reaching his ninetieth birthday and given considerable publicity in the *Crosby Herald*. Among his many gifts to the Church he presented a printing block for the frontispiece of the Annual Report showing a drawing of the chapel – the original having been destroyed or lost in the bombing raid.

In introducing Mrs Ellen Hughes, Aughton, we fondly remember her late husband Mr Elwyn Hughes who attended our services. A quiet, unassuming man, we knew of his presence with the contribution of his melodic voice to our Songs of Praise. Ellen continues to support the Church and values her attachment to the cause, and we love seeing her and her daughter in the congregation.

Our member Mr Glyn Thomas has retreated to the edge of our society since our amalgamation. In days gone by in Bootle he was one of the most active and useful members of Stanley Road Church and assisted members and neighbours in many and various ways with his practical talents. He was employed by Hugh Evans & Sons the printers and would ensure that when new hymn books, etc. were purchased by the Church they would be embossed in gold or silver lettering.

Mr Gwyndaf Williams and his wife June joined Waterloo Church in 1968 when he was transferred from Aberystwyth to work in the Liverpool area by the electricity company Manweb. Gwyndaf is a member of the Aughton Male Voice Choir. The family moved to live in Ainsdale and continue in their support of Bethania.

Miss Megan Williams, Mersey Road, joined Bethania in 2002 through her attachment to Wales and as she truly enjoyed the ambience of our Welsh service. She taught the Classics at Merchant Taylors School, Crosby, where she was a very influential and respected teacher but her career was cut short because of her physical condition. With her Welsh background and linguistic ability she was able to follow the services and particularly enjoyed the hymn singing. Unfortunately her health no longer permits her to attend our services.

Mrs Phyllis Weaver, Ainsdale, appears as a 'Friend of the Cause' in our Annual Report but this is really a misnomer as she has constantly been a member or attended at Waterloo all her life. She was one of the Owen family of Kershaw Avenue who were pillars of Waterloo Church and she her sister Marion and brother Trefor were baptised there. She remembers the Reverend Stephen Davies presiding over the proceedings and having to learn and recite her verse in front of the congregation on Sunday mornings. They were members of the Sunday School and she has happy memories of delivering flowers after the Harvest Festival and Palm Sunday services to those members confined to their homes. The Christmas party when Father Christmas delivered the presents arranged by the Church ladies was one of the highlights of the year. The Reverend Maurice Williams arrived and encouraged the young people to participate in concerts, drama and the

'Eisteddfod' – a hard task master but they had lots of fun! Phyllis and David married in Waterloo chapel in 1965 but she then became a member of an English church to be with her husband. They had three children and each was baptised at Waterloo. Whilst still being a member of the English church Phyllis remains faithful to her roots and regularly travels from Ainsdale to Bethania picking up other members on her way. So really although not 'officially' a member of Bethania it would be more accurate to describe her as having dual membership in the two churches.

Finally, we cannot complete our brief biographies without including Mr David Evans, Southport, who visits regularly to honour and remember his parents Cecil and Gwyneth Evans. He retired from work early in order to attend to and nurse his bedridden mother, a task he devoted himself to for a long time. He is engaged in voluntary community work in Southport and gives support to the Welsh activities on Merseyside.

We are happily settled in the Anglican Christ Church at Waterloo and at the same time anxiously look across the road at our old chapel as the fabric deteriorates. We could not have found a better more welcoming home where many of the congregation greet us in Welsh. Their leader the Reverend Gregor Cuff is a gem and learned the liturgy in the Welsh language which I am convinced will ensure his entry into heaven as we believe Welsh to be the language of, hopefully, our final destination!

Bethania is the last Welsh language church in the North of Liverpool and belongs to the Presbyterian Church of Wales and to a Presbytery which includes Welsh language chapels in Manchester, Altrincham, Chester, Birkenhead, Mold and Wrexham, as well as in villages and small towns in the valley of Glyn Ceiriog, East Denbighshire and Flintshire. We have a close and beneficial relationship with Bethel Church in Allerton which has also included in its provision a new Welsh Community Centre. We live in faith and are striving for as long as we can to keep our Christianity and rich heritage alive in North Liverpool.

Five years have passed since the first edition of the book and the Bethania Welsh congregation continue to worship at Christ Church in the care of the Reverend Professor Dr D. Ben Rees. His leadership continues unabated with the organisation of many important festivals in the heritage of the Welsh community on Merseyside and the publication of several books including his autobiography 'Di ben Draw' and an important history of the Welsh Mission Hospital in North East India; and its founder Reverend Dr H. Gordon Roberts under the title of 'The Healer of Shillong'.

We as a small congregation have suffered a number of losses. The ashes of Mrs Nan Lewis our long serving organist were placed in the Garden of Rest at Christ Church. Mr Alun Evans who had the longest connection with our Welsh church was happily followed in membership by his daughter Susan. The faithful Miss Glenys Jones was released from a lifetime of disability also Miss Kitty Roberts a fundamentally committed Christian returned to her Maker. Both these ladies left legacies to support the Welsh cause in Liverpool. We enjoyed the intellectually endowed Miss Megan Williams for a period before she was granted her wish for release from this life. The local chemist Mr Gordon Short a very good supporter of the cause at Waterloo also died. All these were in their nineties! Miss Dorothy Williams celebrated her hundredth birthday with a Communion Service and party at Christ Church a few week before her departure this year.

Our chapel buildings on Crosby Road South has become apartments. The appearance of this imposing building has been restored and will continue to be a reminder of the history of worship and community work of the Welsh people who resided in the area. A prominent plaque on the building; as is on the chapel building in Stanley Road, Bootle, would be a reminder to everyone of this!

APPENDIX I

A Short History of the Beginning of the Calvinistic Methodist Church at Waterloo

Being the first history of Waterloo as written by the Reverend William Henry, the first Minister of the Church

I WAS PLEASED TO LEARN of the intention of our faithful librarian, Mr W. J. Matthews, to bind the Annual Reports of Waterloo Church into one volume so that anyone who so desires can research their contents. It will be beneficial for our members to realise how the Great Leader of the Church has enthused his people to work quietly and diligently over the years and He has crowned their labours with increasing success.

There is no published report in being of the earliest years and it can be added that the published reports cannot fully convey the work of the Church during the period which will be covered. Yet we feel that they are packed with many interesting facts.

With a view to the start of the Cause, it cannot be bettered than to quote from the notes made by the late Mr W. J. Hughes, and which were used by him at the Monthly Meeting held here about the year 1900:

> "The Church at Waterloo began when three Welshmen came together to read the Word of God at the prompting of Mr Owen Williams who was then resident in the community. The Sabbath May 9, 1867, was the day; the place the vestry of the English Independent Church, the personalities being Mr W. Davies, Berry Street, Liverpool, and two religious sisters then in service with Mrs Williams and Mrs Davies. Mr Davies was on a visit to Waterloo for the benefit to the health of one of his children, and in all probability

did not intend to establish a Welsh Sunday School in the area, but God intended the three who had gathered in His Name that afternoon to start a movement that would in the future be a physic to heal the weak of spirit and keep many people alive.

Slowly, many others joined the class and during the winter of 1868 the first Welsh sermon was delivered in that building by the Reverend John Davies, Nerquis, on the words in Nehemiah III, 5: *"But their nobles would not demean themselves to serve their governor"*. During the following ten years, the arc moved from place to place on the shoulders of the late Mrs Owen Williams and the late Mr Ed Peters, Morris J. Parry, Robt. Jones, W. Parry (Bootle), Elias Morris (now an officer at Stanley Road) and several others whose devotion was to the work.

On Wednesday, November 26, 1879, a meeting of church members associated with the cause was held in the Missionary Room, Dean Street. There were 23 present of whom 18 held membership tickets from other churches. Present representing the 'Monthly Meeting' were the Reverend Owen Owens and Mr John Lewis, Hope Street, together with the Reverend G. Ellis, M.A., and Mr David Jones, David Lloyd, William Jones (Caradoc Park), Owen Williams, Ed. Owens and Wm. Jones (St Albans Road), Bootle. The Reverend Owen Owens announced that the members of other churches whose papers had been read now constituted the Calvinistic Methodist Church of Waterloo.

On the afternoon of Sunday, January 4, 1880, the new church celebrated its first Communion Service – served by the Reverend G. Ellis, M.A., and on Friday night, 30th instant, the first baptism was celebrated by the same reverend gentleman.

On 18th February 1880 the first Elders were chosen, namely Mr Ed Peters, Morris J. Parry and W. J. Hughes. These three have now entered into the Happiness of their Lord to receive the rewards for being good and faithful servants.

The commitment and care of these three brothers has been of great value to the Church. It can be testified that these 'were faithful to your house' throughout their lives. In the weekly meetings –

particularly in the prayer meetings – for many years, the late Mr M. J. Parry and W. J. Hughes led the flock to rich pastures in the Gospel with great success. They also received the assistance of the Reverend E. J. Evans and others occasionally. From May 1889 until the beginning of 1891, the Reverend J. Pugh, B.A., was with them and his valuable service is remembered with joy during this period. He died on 3rd January 1891. On 31st October 1882, that is three years after the establishment of the Church, the congregation and many of their supporters had the privilege of hearing the Reverend Griffith Ellis deliver the first sermon in the new chapel. The cost of the chapel was £2,500. Towards the middle of 1897 the debt had been cleared and the Church sent a strong invitation to the Reverend W. Henry, Pontypridd, to be their minister, to which he agreed. A service was arranged to welcome him to his new responsibility on 6th July 1897 with Mr W. J. Hughes as chairman. Among others present were Professor Edwin Williams, B.A., Trefecca, and Councillor H. S. Davies, Penarth (representing the East Glamorgan 'Monthly Meeting'). The Reverend J. Hughes, M.A., and Mr J. Harrison Jones, representing the Liverpool 'Monthly Meeting'. The Reverends G. Ellis, M.A., O. Owens, W. M. Jones, W. M. Williams, W. Owen, T. Evans, together with Mr D. Jones, J. Morris, J.P., T. O. Hughes, E. Owen, W. Jones, etc, etc., as well as other officials church members and many friends from surrounding churches. In addition to representatives from the South and the Liverpool 'Monthly Meeting',an address was given by the new shepherd and by the Reverend G. Ellis, M.A., Owen Owens and W. M. Williams and the service was concluded by the Reverend W. Owen. The church spent £1,560 in the year 1898 building a schoolroom and extending, cleaning and decorating the chapel. The total debt now (1900) is about £800. It is obvious that there has been a faithful selfless effort to reach this stage in such a short time. This has not had a detrimental effect on the usual collections and if anything the contrary is true.

A comparison of the collection for the Ministry for this last year with that for 1896 shows an increase of nearly 60 per cent. The rent for the pews also shows a significant increase.

Mr Hughes concluded by stating it appeared that the administrative mechanism of the church was almost perfect. It is our duty to humbly and thankfully acknowledge that we do on occasions experience clear signs that there is a Spiritual Being amidst the machinery."

We notice that forty-three years have passed since the start of the Welsh Bible Reading class started in Waterloo (9th May 1867) and nearly forty-two since the first Welsh sermon was delivered by the late Reverend J. Davies, Nerquis (1868), and thirty-one years since the formation of the Church in that room in Dean Street (1879), thirty years since the first sacraments were ministered in the Church and since the first Elders were chosen (1880). It is twenty-eight years since the chapel was opened and twelve years since it was extended for the first time. And it can be added that it was further developed for a second time two years ago (1907) with a new Schoolroom, classrooms, library and Chapel House, all at a cost of approximately £2,500. It is interesting to note that hundreds of pounds of this sum has already been repaid.

It has already been noted that the original three chosen as elders have already moved on to their deserved prize. But they have left a good legacy for those who followed, there is a pleasant atmosphere in the community giving credence to the words, "Blessed is our memory of the righteous", encouraging us to be faithful in the entire House.

In 1885 the second election of elders took place when Mr Hugh Thomas and Mr William Jones were called to that office. There is sixteen years since the third election when Mr D. Parry, O. G. Pritchard, Edward R. Jones, Walter E. Lloyd and W. Griffith were called. Of the good brothers called on this last occasion only Mr D. Parry remains. Eight years ago (1902) Mr E. W. Jones and Joseph Pritchard were chosen and two years ago (1908) three others were chosen, namely, Mr Jonathan Jones, John Lloyd and Hugh Roberts. The six named are committed to the work of the Church in every way, and they do receive signs that their labours are not in vain and the respect and admiration of the Church for them becomes ever greater.

Thirteen years ago (1879) your shepherd received his call. He feels the heartening cooperation of both the officials and members, given under the blessed smiles of the Lord of the vineyard, which has been very fruitful: "The Lord has presented us with great deeds".

At the beginning of 1905, our Nation and others in the Liverpool area experienced things which were not known to this world. Some of those prayer meetings will influence our lives for ever, as with the time we saw, "The one who is in the middle of the seven candlesticks", and we felt the same as the one who heard him say: "Do not be afraid. I am the first and the last, and I am the living one; for I was dead and now I am alive for evermore; Amen" (Rev. 1; 17-18). It is a striking fact that the increase in our Church membership of 74 during the five years 1904-1909 compares with only 71 for the ten previous years.

The following figures will show clearly that there is much work to be done in our area. During the years 1897-1909, 687 joined through letters of introduction, 67 from the general population and 55 from our young people, making a total of 804. 69 were baptised. So 873 persons have been brought into a special relationship with us as a church during the short period under review. It is also true that many have, by moving out of the area fairly quickly and others, more is the pity, have left without a care about their membership ticket; others have left us for the glorious Church in Heaven, those who have died, but still speak to us.

An important chapter in the story of the Great Cause is that of the Sunday School. It must be admitted that the increase in numbers does not equate with the increase in the general church membership during the years 1897 to 1909. The total number in the school in 1897 was 185 with an average attendance of 90; in 1909 the number is 243 with an attendance of 125. If only we could convince all our church members also to become members of the Sunday School, to which we are all prepared to sing 'Glory, glory to God'. Much excellent work is done through its efforts for the next generation, and we can testify that it is an effective means of grace for its adherents both young and old.

Concerning this, we should also mention another valuable institution to those who make use of it; the Library. It contains about 330 volumes amongst which are some of the classics of Welsh literature, a number of missionary works both Welsh and English, in addition to a good number of books specifically for children. The Librarian and his committee are keen for more readers to join the Library.

The meetings for children – 'The Band of Hope' (strange it was always referred to like this in Welsh) and various classes during the winter months, have bourn much fruit for the benefit of those attending and for the benefit of the Church in general.

It would be an overstatement for me to write more on the work of the Temperance; Religious Endeavour and Cultural Societies and the nourishment given to the mind and spirit of those involved.

Our committees are very numerous but we cannot give sufficient praise to the aim and work of the Visiting Committee and of the Women's branch of the Overseas Missionary Society. The great purpose of the first is to get everyone of our fellow Nationals living nearby to listen to the Gospel, and that of the second to facilitate the spread of the Gospel to the dark corners of the earth. We cannot be true to the very purpose of the Christian Church without keeping in mind the command of our Lord, "Go forth to every part of the world, and proclaim the Gospel to the whole creation". As we strive in our efforts for Him, we can hear God saying, "Do not be afraid, for I am with you, from the East I will bring your seed, from the West I will harvest you. To the North I will say 'Come', and to the South 'Do not hesitate': my sons will come from afar, and my daughters from the ends of the earth, that is everyone who is called in my name, for it is to my glory that I created him, and fashioned him and I made him".

August 23rd, 1910 W. HENRY

APPENDIX II

The Contribution of the North Liverpool Welsh Presbyterian Churches to the Foreign Mission

ONE ASPECT OF THE history of Waterloo Church that has not been given a detailed account in this book is its work and support of the Christian Mission to North East India. This has always been a major item on the agenda of the Merseyside Welsh Churches and the Offices of the Mission were based in Faulkner Street, Liverpool. This omission has been corrected by the Reverend Dr D. Ben Rees whose comprehensive book *Vehicles of Grace and Hope* (ISBN 087808505X) gives detailed coverage of the work of all the Welsh missionaries from Merseyside and Wales.

From the very beginning the Reverend Griffith Ellis, Bootle emphasised to the leaders of the Church the importance of the Mission to North East India. This was heeded and even when great effort was needed to secure funds for the building of the chapel a substantial collection of £4.12.0d (about £400 in today's values) was made in1883 for the cause. The Annual Report for 1944 shows that the sum of £107.8.3d was collected including £17 from the young people of the Church specifically for the work of Dr R. Arthur Hughes in Shillong Hospital. This is explained as there was a direct connection with Dr Hughes as he spent five years of his childhood as the son of the Manse at 1 Kinross Road, Waterloo, when his father the Reverend H. Harries Hughes was minister of the Church. Arriving in 1921 at the age of ten he was educated at Christchurch Primary School and the Waterloo Grammar School. The whole family were very popular, especially so with his contemporaries. They left in 1925 and Dr Arthur enrolled at John Bright Grammar School, Llandudno.

Dr Arthur Hughes returned to study medicine at Liverpool University where his exceptional talents shone earning him prizes and scholarships. He worked in Liverpool Hospitals for six years before applying to become a Medical Missionary on the Khasi Hills of East India. He married Nancy (née Wright) on 7th January 1939 before sailing from Birkenhead to India on 28th of the same month. He became the assistant of Dr H. Gordon Roberts at Shillong Hospital and took over responsibility when the doctor retired in 1942. With his exceptional medical expertise and deep Christian faith and commitment he rendered great service to the people of the Hills and to many others who would travel for miles for treatment at the hospital. He also treated many soldiers of all nationalities wounded during the Second World War in the battles with the Japanese. Despite the intensity of his work, each day was commenced with a prayer meeting with his staff. He developed procedures to deal with tropical deceases and taught surgical procedures and nursing care to his local medical staff.

He returned to Liverpool in 1969 but still longed for the hospital at Shillong and dedicated his efforts as leader and trustee of the North East India–Wales Trust. He was appointed as the Academic Deputy Dean of Medicine at Liverpool University and was elected an Elder of Bethel, Heathfield Road chapel. He is remembered as a rather shy man who never sought self-advancement but still he would come to the fore and was elected leader of the Elders for the North Wales Association and to the highest honour as Moderator of the Presbyterian Church of Wales for 1902-3. He was presented with the OBE in recognition of his work in India.

Dr Arthur Hughes died in Broadgreen Hospital on 1st June 1996 and his ashes were scattered at Gogarth Head, Llandudno. In his honour six annual Memorial Lectures were delivered, the first by his minister Dr D. Ben Rees and subsequently by the Reverend D. Andrew Jones, Elfed ap Nefydd Roberts, Dr Alwyn Roberts, Mr Gwyn Evans, Weston Rhyn, and Professor Aled Gruffudd Jones of the University of Aberystwyth.

By the time of the Annual Report of Waterloo Church for 1985 no specific money was collected for missionary work because the Central Authorities of the Church levied the sum of £1 per member. However, this report stated:

> '. . . our payment in 1985 is made for exceptional reasons. We raised money, for the first time ever, from the legacy of the late Miss Nora Moxey and gave £200 to the Missionary Cause in memory of two faithful sisters, Miss Moxley and Miss Lily M. Thomas as the Missionary work was so precious to them'.

In this era charities such as Christian Aid and specific appeals for the relief of poverty and disasters have replaced our financial support for the work of Christian Mission. The office at Faulkner Street has closed and we now as the Presbyterian Church of Wales have only one Missionary active in the field – Miss Carys Humphreys in Taiwan. Also we should not forget that our former Chaplain the Reverend Eleri Edwards worked as a missionary in Madagascar for over 20 years. History is now being reversed in the missionary field as since the end of the twentieth century Christians from India and other Eastern countries are being sent to evangelise in our country which has lost a great deal of its religious fever.

The contribution to the Missionary Movement in North Liverpool District

by Dr D. Ben Rees

The Presbyterian Churches of North Liverpool, that is Stanley Road, Bethania and earlier the chapel of Waterloo, Walton Park, Peel Road, Seaforth and Peniel, Southport, played a very important role in the work of the Foreign Mission that was started in Liverpool in 1840 when Thomas Jones and his wife Anne set out for the Khasi Hills in North East India. Members and leaders of these churches were at the forefront of the Liverpool Missionary Committee. One of those who dedicated much to the work was J. C. Roberts (1860-1941) an elder at Walton Park Church from 1907 to 1919 and then at Peniel, Southport, from 1920 to 1941. He was continuously a member of the Missionary Committee of the Presbytery for twenty-two years. He would chair services to wish embarking missionaries well and he and his wife welcomed returning missionaries to their comfortable home on the promenade at Southport.

We should also remember the contribution of the Reverend William Davies (1877-1938) who was minister at Stanley Road, Bootle from 1918 to 1938. The Church at Stanley Road had been amongst the most fervent since the days of their dynamic leader the Reverend Griffith Ellis. The Reverend William Davies was one of three delegates to visit India in 1935 on behalf of the Mission and the denomination. The others being the Principal of Bala Theological College, David Phillips and Dr Llewelyn Williams, the father of Mrs Enid Wyn Jones, Liverpool. A service was held at Bootle to wish the delegates well before they sailed from Liverpool for Bombay on the *City of Simla* on 24th October 1935. They arrived on 16th November and returned from India on 28th May 1936. William Davies was well received by the residents of the Khasi Hills, particularly the children. David Phillips remarked that Mr Davies had shown the art of Welsh preaching at its best though his sermons were in English and had to be translated to the native tongues. One of the translators told of his experience: "I have never before heard such preaching. The resonant voice, the powerful delivery and the thoughtfulness transmitted".

Unfortunately, the Reverend William Davies contacted an infection during his visit and became very ill. He was attended to at Shillong Hospital by Dr Barlow and Dr H. Gordon Roberts, but he never properly recovered from the illness. By the end of 1937 he was unable to preach and could hardly speak and despite surgery did not regain his voice which was so powerful in his passionate preaching. He died on 22nd July 1938 having received the tender care of his wife Miriam (née Parry), originally from Rhostryfan. The funeral was conducted at Stanley Road, Bootle, and many tributes were given, amongst them one by Dr H. Lyngdoh a doctor from the Khasi Hills who was on a visit to Liverpool. A book was published on the life and work of William Davies, edited by his admirer the Reverend D. L. Rees, minister of Moss Side Welsh Presbyterian chapel, Manchester, and published by the Brython Press of Bootle in 1939.

One who was charmed and influenced by William Davies was the Reverend Trebor Mai Thomas (1910-1984) who was born in the Welsh colony of Patagonia, Argentina. He left the home of his parents Laura and Edward Owen Thomas (an elder of Bethel Church at Gaiman) and came to stay with his uncle in Bootle where he became a member of Stanley Road Church. In common with many of the people of that colony his only languages were Welsh and Spanish and he attended Clwyd College, Rhyl, to be tutored in the English language. He devoted himself to his studies for thirteen years in preparation for becoming a missionary and gained a B.A. degree in Hebrew at Bangor, B.D. at Aberystwyth and a Diploma at Selly Oak, Birmingham. He was sent to Shillong in 1941 to do special work amongst the young people in that city. He married Nancy Mary (née Davies), a member of Heathfield Road chapel, who like the rest of her family was a committed missionary.

The North of Liverpool contributed much to the Missionary effort, and as this book notes the work of the Reverend D. Stephen Davies, his wife Blodwen and Oliver Thomas (1887-1950) who was of great assistance to the Welsh chapel at Waterloo. Mr Thomas would oversee much of the work of the Church and there was a close relationship between him and the missionary Stephen Davies. He was greatly admired by the people of Waterloo for his cheerful bravery in the face of great suffering and looking after his wife Annie (née Dennison) who was also a valued member of Waterloo Church for 33 years.

It is of no surprise that there was a strong witness in support of the Mission at Waterloo as they heard a constant reference to the work. The Missionary Collection Boxes were a constant reminder of the work. In the nineteen thirties the Missionary Offices in Liverpool produced an attractive collection box and Mr W. R. Williams, an elder at Waterloo, paid an artist to paint scenes showing Jesus with his arms outstretched welcoming children in their traditional wear from all continents. Different types of boxes for use by adults and children were made available from 1936 and were in use for forty years until they were replaced by inferior plastic types. But by then the enthusiasm had waned as compared with the days of W. R. Williams, E. Meirion Evans, Trebor Mai Thomas and Oliver Thomas. The Missionary Tea Party ceased and so also the important evening meeting when the boxes were presented and opened for counting.

Despite everything the missionary effort continued at Waterloo throughout the ministry of the Reverend R. Maurice Williams. Mrs Mattie Williams (née Morris), who was brought up in Douglas Road chapel, was committed to the missionary effort as was her husband Mr H. R. Williams, an elder at Waterloo. She and Mrs Ellis Owen worked tirelessly within the Liverpool Ladies Missionary Committee. At the end of the sixties another missionary, Miss Lily M. Thomas, part of the Manchester Welsh community, came to Waterloo and assisted in the work. She had gone out to India in 1955 following the death of Dr Helen Rowlands to care for the widows and orphans in 'The Residence of Light' home at Dipti Nibash in Karimganj. She served there until 1958 when she moved to a nursing post at Jowai Hospital on the Khasi Hills.

Whilst at Jowai she received a call from Miss Winnie Thomas for her assistance at Sylhet and the two worked there until the area became part of East Pakistan in 1976 when the work was taken over by the Santal Mission of Norway. The two ladies returned to Liverpool in June of that year where Winnie died within three months. Fortunately Lily found a true friend in Miss Nora Moxey a great supporter of the missionary movement and who was a member of the English branch of the Welsh Presbyterian Church at Clubmoor. Miss Moxey and her elderly mother who lived in Aintree together with Lily became members at Waterloo. They regularly could be seen walking the four miles to morning service to hear the inspirational preaching of the Reverend R. Maurice Williams. Miss Moxey was also one of the Sunday School teachers. I can remember how both ladies were totally committed to the missionary work in India. Lily Thomas' application to do missionary work in Brittany had been rejected by the Presbyterians in 1929 but despite the disappointment, neither she nor her friend Nora ever lost her zeal for the work. At that time she was living at 107 Chatham Street and attended the nearby Welsh Presbyterian chapel, a lovely building still in use by the University of Liverpool.

As can be gathered from this chapter the Welsh chapels of North Liverpool can proudly proclaim their part in supporting the men and women who contributed greatly to the Missionary effort. Many of these people gave their all to their Lord at home and abroad. We give thanks for the past and rejoice in whatever work was done and is still being done in our days throughout the world, and at the same time warmly remember the contribution of the Welsh Presbyterian Church at Waterloo to the spread of the Gospel to the Worldwide Church of Jesus Christ.

D. BEN REES
Emeritus Minister of Waterloo

APPENDIX III

Elders of Waterloo Church and the Church of Bethania (1880-2013)

1880	Edward Peters, Wesley Street (1887)
	Morris J. Parry, Hicks Road (1896)
	William J. Hughes, Claremont Road (1903)
1885	William Jones, Willoughby Road (1888)
	Hugh Thomas, Grey Road (1888)
1894	David Parry, Gordon Road (1921)
	Owen G. Pritchard, Sandringham Road (1900)
	Edward. R. Jones, Beaconsfield Road (1902)
	Walter E. Lloyd, Victoria Road (1898)
	William Griffith, Great George's Road (1895)
1902	Ellis W. Jones, Waterloo Park (1918)
	Joseph Pritchard, Hereford Road (1921)
1908	Jonathan Jones, Elton Avenue (1970)
	John Lloyd, Moorgate Street (1939)
	Hugh Roberts, Moss Lane, Orrell Park (1934)
1919	Watkin Morgan, Tuscan Street (1939)
	Edward H. Roberts, Cambridge Road (1950)
1926	John Lewis, Enbutt Lane, Crosby (1937)
	John P. Thomas, Kimberley Drive (1943)
1934	William P. Bulkeley, Park View (1938)
	W. R. Williams, Elton Avenue (1941)
1937	David C. Roberts, Park View (1968)
1938	Griffith John Williams, Myers Road West, Crosby (1947)
1943	Llewelyn Jones, Ivanho Road (1965)
	Thomas A. Lloyd, Milton Road, Waterloo (1969)
	Evan Lloyd, Empire Road (1975?)

1947	D. Aneurin Hughes, York Avenue (1985)
	Trebor Jones, Alexandra Road (1963)
	W. S. Kershaw, Corona Road, Crosby (1975)
	Peter L. Lloyd, Rosemoor Drive (1967)
	H. R. Williams, Marlborough Road (1989)
1964	Howell Roberts, Queensway (1973)
	David H. Jones, Longcliffe Drive (1982)
1967	Gwilym Evans, Sandringham Road, Waterloo (1979)
	J. P. Lloyd, Leopold Road (1978)
	David C. Williams, Esplen Avenue, Crosby (1992)
1978	Trefor Griffiths, St Peter's Close, Formby (1983)
	Richard Hughes, Myers Road East, Crosby (2000)
	J. Alun Edwards, Channel Reach, Blundellsands (1994)
	R. Alun Roberts, Milton Road, Waterloo (2002)
1992	T. Selwyn Williams, Litherland (2003)
	Dewi Garmon Roberts, Maghul (1996)
	John P. Lyons, Knowsley Village
2000	Gwyneth Evans, Southport (2004)

Cylch yr Amserau

Cylch yr Amserau

Hanes Capel Bethania, Waterloo, a rhagor o Oleuni ar Achosion y Methodistiaid Calfinaidd yng Ngogledd Lerpwl a Southport (1879-2013)

gan

John P. Lyons

Cyhoeddiadau Modern Cymreig Cyf., Lerpwl
ar ran Eglwys Bresbyteraidd Cymru, Bethania,
Crosby Road South, Waterloo, Lerpwl 22
2013

Argraffiad cyntaf: Medi 2013
Yr ail argraffiad: Ebrill 2018

Cyhoeddwyd gan
Gyhoeddiadau Modern Cymreig Cyf.,
Allerton, Lerpwl, L18 6HW

ISBN 978-0-901332-95-0

Derbyniwyd rhodd tuag at cyhoeddi'r gyfrol gan
Ymddiriedolaeth Gogledd Ddwyrain India–Cymru

Derbyniwyd rhoddion tuag at gyhoeddi'r gyfrol hon o ewyllys Miss Kitty Roberts,
Walton trwy Eglwys Bresbyteraidd Cymru, Heathfield Road, Lerpwl 15
a gan Ymddiriedolaeth Cronfa Dewi Sant, Lerpwl
('St David's Welsh Church Charity' Trust.)

Llun ar y clawr yn rhoddedig i'r capel
gan Mr Gordon Short, Crosby.

Argraffwyd yng Nghymru gan
Wasg Dinefwr
Heol Rawlings, Llandybïe
Sir Gaerfyrddin, SA18 3YD

Cynnwys

Cyflwyniad

GALLWN FENTRO DWEUD na chafodd unrhyw dalgylch well haneswyr crefyddol, na mwy ohonynt na Glannau Merswy. Wedi'r cyfan yn y bedwaredd ganrif a'r bymtheg pwy oedd prif hanesydd y Methodistiaid Calfinaidd ond John Hughes (1796-1860), cefnder y bardd telynegol John Ceiriog Hughes. Symudodd o Adwy'r Clawdd ger Coedpoeth i Lerpwl yn 1838 er mwyn ei fasnach ac er mwyn yr Efengyl. Calfinydd yn gweld yn bell oedd John Hughes, ac ar ôl symud i Lerpwl cafodd y cyfle i fugeilio Methodistiaid Calfinaidd y ddinas mewn partneriaeth gyda'r duwiol Henry Rees (1799-1869). Yn y Mount, heb fod yn bell o'r eglwys Anglicanaidd bresennol, y lluniodd tair cyfrol a gyhoeddwyd yn y blynyddoedd 1851-6, sef *Methodistiaeth Cymru*. Rhaid gwrando ar deyrnged y Dr R. T. Jenkins iddo: 'Llyfr go hynod, pan ystyriwn ei gyfnod, a llyfr sydd heddiw eto'n anhepgor ar waethaf ei ddiffygion'. Gwir y dywedodd.

Yn yr ugeinfed ganrif cawsom gyfraniad y Parchedig John Hughes Morris (1870-1953). Ef yw prif hanesydd y Genhadaeth Dramor ac y mae *Hanes Cenhadaeth Dramor y Methodistiaid Calfinaidd Cymraeg hyd 1904* yn fwynglawdd. Rwy'n gwybod y gellid defnyddio 'mwynglawdd' yn ffigyrol ond gwell gennyf yr ymadrodd 'yn drysorfa o wybodaeth'. Felly hefyd y fersiwn Saesneg a gyhoeddwyd yn 1910. Lluniodd hefyd ddwy gyfrol ragorol ar Fethodistiaeth Galfinaidd Gymraeg Lerpwl a'r Cyffiniau yn *Hanes Methodistiaeth Liverpool*, Cyfrol 1 (Lerpwl 1929) a Chyfrol 2 (1932). Mawr yw ein dyled iddo.

Y trydydd digwyddiad pwysig oedd cyhoeddi cyfrol ddwyieithog hardd *Cymry Lerpwl a'u Crefydd* R. Merfyn Jones a D. Ben Rees (Lerpwl a Llanddewi Brefi 1984). Golygais y gyfrol. Ceir tair pennod, 'Gwyrth ac Amrywiaeth Crefydd y Ddwy Ganrif' a 'Chyfraniad Methodistiaid Calfinaidd Lerpwl i Grefydd a Chymdeithas', y ddwy erthygl wedi eu llunio gennyf, ac astudiaeth bwysig y Dr R. Merfyn Jones ar Gymry Lerpwl. O hynny allan bûm yn paratoi deunydd ar Gymry Lerpwl, y Genhadaeth ac

Eglwysi unigol. Erbyn hyn cyhoeddwyd tair cyfrol sylweddol yn Gymraeg a thair yn Saesneg ar Eglwysi Webster Road, Heathfield Road a Bethel, Eglwys Salem a Seion Penbedw, ac Eglwys Ellesmere Port a chyfeiriadau at yr eglwysi cenhadol. Ond ni fu'n rhaid i mi weithio ar fy mhen fy hun. Paratôdd y Dr Arthur Thomas ddau lyfryn yn Saesneg, un ar Gapel Cymraeg Garston a'r llall ar gapel enwog Princes Road a'r Drindod, a chroesawn yr astudiaethau hyn. A dyma ni yn awr yn croesawu un arall i blith y cwmni bach sydd yn cadw yn fyw hanes ein hetifeddiaeth Grefyddol Gymraeg.

Fel un a gafodd y fraint o edrych dros y gwaith deirgwaith gallaf dystio fod y gyfrol arfaethedig yn llenwi bwlch pwysig yn hanes gapeli niferus Bootle a Gogledd Lerpwl a Southport. Mantais fawr astudiaeth John P. Lyons yw ei fod wedi astudio'r deunydd crai oedd ar gael yn adeiladau Capel Cymraeg Waterloo. Noda fod llawer o'r llyfrau cofnodion mewn cyflwr truenus ond ni fu hynny yn rhwystr o gwbl iddo adrodd stori tyfiant yr Achos ac am gyfraniad dwy ffrwd arall i fodolaeth Capel Bethania, sef ffrwd eglwys enwog, weithgar Stanley Road, ac eglwys genhadol Southport. Mantais fawr awdur y gyfrol hon yw ei fod wedi cysegru ei hun, ef a'i briod Marian Lyons, ers pan ddaeth y teulu i'r Glannau yn 1966, i hybu'r dystiolaeth Gymraeg Fethodistaidd Gristionogol.

Cofier ei fod yn ffenomenon, ifaciwi a ddaeth o ddinas fawr Llundain heb waed Cymraeg o gwbl yn ei wythiennau, i ardal Rhydwyn ar Ynys Môn. Yn ei amgylchedd newydd yfodd yn helaeth o ddiwylliant a'r iaith Gymraeg a thyfu yn Gymro o argyhoeddiad. Nid gwaed sy'n gwneud Cymro ond gwreiddiau, iaith (ran amlaf), cymdogaeth dda, crefydd (ran amlaf) ac argyhoeddiad personol. Cofiaf yn dda fod yn rhan o wasanaeth ordeinio John P. Lyons yn flaenor yn Henaduriaeth Lerpwl yn 1973, ef wedi ei ethol gan Gapel Stanley Road, lle yr oedd ef a'i deulu ers saith mlynedd yn ei gefnogi, yn cynnal ac yn hybu y dystiolaeth. Bu'n weithgar dros y blynyddoedd yn Henaduriaeth Lerpwl ac yn barod ar ôl ei ymddeoliad o'r heddlu i'w chynrychioli yn llysoedd y Cyfundeb ac ar bwyllgorau Sasiwn y Gogledd. Ef yn 2013 yw Llywydd Henaduriaeth y Gogledd-Ddwyrain a gwyddwn y gwnaiff gyfrif da ohono'i hun a gwarchod yr eglwysi gweiniaid a bychan eu rhif sydd ar hyd a lled ein tiriogaeth.

Gwn ein bod yn Eglwys Bethania, yn gwerthfawrogi yn fawr lafur John P. Lyons, yn casglu'r deunydd, yn ei ddidoli, ac yn llwyddo i lunio cyfrol

ddarllenadwy. Gwnaeth gymwynas â channoedd o bobl dda a fu'n perthyn i'r eglwysi a nododd, a hefyd gyda'r gweddill ymroddgar sydd yn dal i gyfarfod o Sul i Sul yn Waterloo, ond bellach fel pererinion yn cael noddfa ein cyd Gristionogion yn Eglwys Crist. Y mae hyblygrwydd pobl Bethania yn gordial, a diolchwn am ymroddiad y swyddogion ac am yr ysgub hon a gyflwynir i ni ei mwynhau o eiddo ein blaenor da, John P. Lyons.

Paratowyd y gyfrol i'n hatgoffa ni o werth y gymuned Gymraeg Gristionogol a wasanaethodd ran bwysig o ddinas Lerpwl ar hyd y cenedlaethau. Ond gwyddom mai canolbwynt y cyfan oedd penarglwyddiaeth Duw a grymusterau a hawddgarwch yr Arglwydd Iesu Grist. Dywed y Pêr-ganiedydd:

O! f'enaid, edrych arno'n awr,
Yn llanw'r nef, yn llanw'r llawr,
Yn holl ogoniant dŵr a thân;
Nid oes, ni fu erioed, ni ddaw,
O'r dwyrain i'r gorllewin draw,
Gyffelyb i'm hanwylyd pur.

Dyna realiti'r ffydd. Nawr hyderwn y cawn olwg ar Dywysog ein hiachawdwriaeth wrth ddarllen fel y bu ei ddisgyblion mewn dyddiau o lanw a thrai yn dygymod â'r cyfrifoldeb o fod yn 'halen y ddaear' ac yn 'ddinas ar fryn'. Boed darllen helaeth ar y gyfrol bwysig hon.

D. Ben Rees
Gweinidog Emeritws

Ionawr 2013

Cloc yr Amserau – gan John P. Lyons

PRYNWYD Y GYFROL 'Cylch yr Amserau / Circle of Time' ar ei lansiad gan Mr a Mrs Kynaston aelodau yn eglwys Anglicanaidd Christ Church, Waterloo. Roedd Mrs Winnie Kynaston o dras Gymraeg gyda chysylltiad teuluol ag Eglwys Bresbyteraidd Cymru yn Crosby Road South, Waterloo. Cymerasant y cyfle i ddangos eu cefnogaeth i ni Eglwys Bethania, Waterloo a hefyd i anfon y llyfr yn anrheg i'w mab-yng-nghyfraith, sydd yn Gymro ac yn feddyg teulu ym Mae Colwyn.

Ymhen ychydig cawsant air gan Dr Geraint Wynne Jones yn dweud ei fod wedi darllen y llyfr a'i fod wedi etifeddu un o'r clociau y soniwyd amdanynt oedd wedi ei anrhegu i'w dad W. Llewelyn Jones ar ddiwedd y Rhyfel. Nodais yn y llyfr *'I wonder if any of these clocks still exist'* gan fawr o feddwl y buasai cloc trydan yn goroesi! Anfonwyd y cloc a oedd mewn cyflwr ardderchog ac yn gweithio a chymerwyd llun ohono gan Dr John G. Williams, Bethel.

Cefais air ar y ffôn gyda Dr Geraint am gefndir yr hanes. Roedd ei dad William Llewelyn Jones yn hanu o Sir Fôn ac wedi iddo raddio yng Ngholeg Normal, Bangor daeth i Lerpwl, fel ac a wnaeth llawer o athrawon o Gymru, ac ymaelododd yng Nghapel Waterloo yn 1937. Bu yn aros am gyfnod yng nghartref y blaenor H. R. Williams ond daeth yr amser yn 1943 pan fu rhaid iddo ymuno a'r lluoedd ac aeth i'r Llu Awyr yn Ne Cymru. Wedi iddo gael ei ryddhau ar ddiwedd y rhyfel dychwelodd i Lerpwl a phriododd yng Nghapel Waterloo gyda Elizabeth Price Jones, aelod o'r capel, ac yn fuan wedi hynny dychwelodd i Fôn yn athro ym Mhorthaethwy ac yna'n Brifathro yn Llandegfan. Byd bychan ynte!

Diolchiadau

Aethpwyd ati i baratoi'r gyfrol hon yn dilyn Gwasanaeth o Ddiolchgarwch wrth ymadael ag adeiladau Eglwys Bethania, Waterloo ar ddiwedd y flwyddyn 2007. Sylweddolais bwysigrwydd diogelu hanes sefydliad oedd wedi gwasanaethu'r gymuned Gymraeg yn yr ardal ers dros gan mlynedd. Nid oeddem fel swyddogion wedi bod yn ofalus iawn o'r creiriau ac roedd y llyfrau a'r dogfennau wedi eu stwffio i bob twll a chornel yn yr adeiladau a llawer o'r rhai pwysicaf wedi eu cuddio o dan lwyfan yn yr Ysgoldy Mawr. Am nad oedd yr adeiladau yn cael eu defnyddio a'u twymo'n rheolaidd roedd lleithder yn ymddangos ym mêr y defnydd.

Casglais y pethau a ymddangosai'n bwysig a dod â hwy adref i weld beth oedd be. Bu oglau'r hen gapel yn ein tŷ am fisoedd wrth i ni sychu a threfnu'r llyfrau a'r dogfennau. Felly fy niolch cyntaf yw i Marian fy ngwraig am ganiatáu i mi droi ein cartref yn swyddfa gyda phethau hanesyddol ym mhob ystafell o'r bron. Mae hi hefyd wedi fy helpu â hefyd fy nghefnogi am gyfnod gweddol hir yn darparu'r gwaith hwn.

Yn ystod fy ymchwiliadau gofynnais i fy nghyfaill, y diweddar Humphrey Wyn Jones o eglwys Bethel arolygu'r gwaith pan ddeuai'r amser yn gyflawn. Bodlonodd ar unwaith ond erbyn i mi gwblhau'r gwaith sylweddolwyd ei fod yn gaeth i salwch difrifol a bod yr amser yn fyr. Ymwelais ag ef yn Ysbyty Clatterbridge ac yna yn Hosbis Marie Curie yn Woolton lle y rhoddodd ar ddeall i mi y buasai wrth ei fodd yn cyflawni'r dasg. Anodd credu, ond y mae ei nodiadau ar y drafft cyntaf yn dysteb o'i ymroddiad a'i fedrusrwydd i bob peth y gafaelai ynddo hyd at ei ddyddiau olaf. Cefais y papurau yn ôl gan Louie wedi angladd Humphrey. Dyma ei weithred olaf ddyddiau cyn mynd i ofal ei Arglwydd.

Roeddem wedi cytuno mai ein gweinidog y Parchedig Dr D. Ben Rees fyddai yn arolygu'r drafft olaf, ac wedi gwneud y newidiadau a awgrymodd Humphrey, anfonais y papurau ato. Gyda'i wybodaeth fanwl ac eang am ein capeli a phob peth yn ymwneud â Chymry'r Glannau daeth newidiadau

ac awgrymiadau helaeth i'r gyfrol a diolchaf iddo am ei gyfarwyddyd. Mae ef wedi cyhoeddi dros 70 o lyfrau ac yn deall beth sydd eisiau mewn cyfrol hanesyddol! Gorffenwyd y gwaith yn gyflawn drwy arbennigrwydd a'i chywirdeb yn yr iaith Gymraeg gan Dr Pat Williams.

Erbyn hyn ychydig iawn o aelodau a fagwyd yng nghapel Waterloo sydd ar ôl ond y mae pob un ohonynt wedi ychwanegu eu gwybodaeth i'r stori. Mae eraill ohonom a ddaeth yn aelodau o'r eglwys, y gweddill ffyddlon, wedi cyfranu i'r stori fel y gweler yn y gyfrol hon.

1 Mawrth 2013 JOHN P. LYONS

Rhagair

DAETH PENNOD ARALL yn hanes yr Achos Methodistaidd Calfinaidd Gymraeg yn Lerpwl i ben ar bnawn Sul, Hydref 28, 2007, gyda Gwasanaeth a drefnwyd gan weinidog yr Eglwys, y Parchedig Dr D. Ben Rees i 'Gofio a Diolch' am adeiladau y capel yn Crosby Road South, Waterloo. Wedi hynny ymfudodd yr wyth ar hugain o aelodau dros y ffordd i Eglwys Anglicanaidd 'Christ Church' gan ddal i gynnal eu gwasanaethau yng Nghymraeg, iaith addoliad y gymuned o'r cychwyn cyntaf.

Ysgrifennwyd peth o hanes yr Eglwys dros y blynyddoedd ac fe geisiaf innau ei helaethu a'i ddiweddaru. Cofnodwyd *Byr Hanes o Gychwyniad Eglwys M. C. Waterloo*, dyddiedig 26 Awst, 1910, gan y Parchedig William Henry – gweinidog cyntaf yr Eglwys – fel cyflwyniad i Adroddiadau'r capel am y blynyddoedd 1881 i 1909 ac yr wyf wedi ei gopïo'n llawn yn Atodiad I. Hefyd, mae hanes Eglwys Waterloo yn ail gyfrol *Hanes Methodistiaeth Liverpool* gan y Parchedig John Hughes Morris a gyhoeddwyd yn 1932; dylai unrhyw un sydd â diddordeb yng Nghymry Lerpwl, eu crefydd a'i diwylliant ddarllen ei ddwy gyfrol. Cafwyd braslun o ddechreuad yr Achos a'r Cymry a ddaeth i Ogledd Lerpwl gan yr enwog Hugh Evans, Cwm Eithin, cyfarwyddwr Gwasg y Brython, yn ei lyfryn *Camau'r Cysegr* a gyhoeddwyd yn 1926 i ddathlu Jiwbilî Eglwys Stanley Road, Bootle. Mae hanes Methodistiaeth Lerpwl yn mynd yn ôl yn bell iawn a diddorol yw darllen yn *Y Drysorfa* (1883-4) hanes dathlu canmlwyddiant yr Achos ar 22ain o Dachwedd 1882 yn Henglers Circus, Liverpool.

Dathlwyd Canmlwyddiant yr Achos yn Waterloo ar y Sul olaf o Fedi 1979 dan arweiniad y Gweinidog, y Parch. R. Maurice Williams a ysgrifennodd yntau fraslun byr o'r hanes.

Yn dilyn cau'r drysau ar ein capel hardd, daeth yn gyfrifoldeb arnaf "i gadw, ac i daflu ymaith", fel y dywed Llyfr y Pregethwr, ac i gofnodi'r pethau hanesyddol. Cefais fod llawer o'r llyfrau a'r dogfennau mewn cyflwr difrifol ac wedi eu difetha gan leithder, ond yn eu mysg roedd trysorau

sydd yn datgelu dros ganrif o weithgareddau crefyddol a chymdeithasol y Methodistiaid Calfinaidd Cymraeg yng nghylch Waterloo.

Dywedir fod hanes yn aml yn mynd mewn cylch ac felly hefyd gyrfa'r Eglwys Fethodistaidd Galfinaidd yn Waterloo – a alwyd yn 'Bethania' ers i Eglwys Stanley Road, Bootle, uno gyda hi yn 1991. Unwyd hefyd Eglwys Peniel, Southport, a sefydlwyd yn 1864, wedi gwasanaeth i ddiolch am gyfraniad y capel hwnnw ar yr 17eg Rhagfyr, 2000. Yn ychwanegol daeth i Fethania aelodau o gapelydd yr Annibynwyr a'r Bedyddwyr yn Bootle ac felly cyrhaeddom yn ôl i'r dechreuad cyntaf hwnnw pan oedd y cyfarfodydd yn gyd-enwadol ac yn cael eu cynnal mewn adeiladau wedi ei rhentu.

Pennod 1

Cymry Bootle a Gogledd Lerpwl

ROEDD MEWNFUDIAD y Cymry i Lerpwl o'r bedwaredd ganrif ar bymtheg i'r ddeunawfed ganrif yn aruthrol. Dynoda erthygl yn *Y Traethodydd* Ebrill 1909 gan Edward Davies fod poblogaeth Lerpwl yn 1867 yn 520,000 ac o'r rhain 40,000 wedi eu geni yng Nghymru. Dywed John Davies yn ei lyfr *Hanes Cymru*, fod ugain mil o Gymry yn ymfudo i'r ddinas pob degawd rhwng 1851 a 1911.

Denwyd miloedd o'r rhai mwyaf anturus o Gymry i Lerpwl yn y cyfnod hwn i geisio eu ffortiwn neu o leiaf gwaith oedd yn talu'n well neu obaith am fywyd mwy deniadol. Roedd y Ddinas ar ei thyfiant yn fasnachol a morwrol gan ymledu yn fwyfwy i'r cyrion a dilyn yr afon Mersi i'r De ac yna i'r Gogledd. Yn yr amser cynnar roedd Bootle ond yn bentref delfrydol glan-y-môr, yn ffynhonnell dŵr i Lerpwl ac yn breswylfa i foneddigion y ddinas. Mewn amser byr datblygodd y dociau, ac o gwmpas y flwyddyn 1815 ciliodd y boneddigion i gyfeiriad Seaforth a Waterloo gan adael Bootle yn drigfan i'r gweithwyr cyffredin. Un o'r prif resymau am ddatblygiad Bootle oedd symudiad y fasnach goed o Garston i Canada Dock, Bootle, yn y flwyddyn 1860. Yn fuan wedi hyn ymledodd y dociau i Seaforth gan gynyddu'r boblogaeth. Bu hynny yn dynfa i nifer o unigolion a theuluoedd Cymraeg, a nodir bod 211 o oedolion a 81 o blant Cymraeg yn byw yn ardaloedd Bootle, Seaforth, Waterloo a Crosby yn y flwyddyn honno. Datblygodd Waterloo ymhellach ac fel Bootle cynyddodd y boblogaeth o 10,453 yn 1882 i dros 32,000 erbyn 1930.

Yn ôl eu harfer daeth y Cymry â'u crefydd â'u diwylliant gyda hwy. Sefydlwyd nifer helaeth o gapeli o bob enwad yng ngogledd y ddinas a Bootle; er, dim ond un yn unig yn Waterloo, sef Eglwys y Methodistiaid Calfinaidd. O'r dechrau profodd y capeli i fod yn ganolfannau i'r Cymry

gysylltu â'i gilydd a byw mewn cymdeithas Gymraeg ei hiaith, ei diwylliant a'i meddylfryd. Cynigiodd y capel drefn gymdeithasol iddynt a daeth yn ffocws i'w bywyd dyddiol a chrefyddol. Fel alltudion closient at ei gilydd o ran cwmnïaeth, cymorth a gwarchod a chyfle i leddfu eu hiraeth am 'Yr Hen Wlad'. Hefyd, porthasant eu hawydd ysbrydol a daniwyd gan y Diwygiadau Cristionogol yng Nghymru. Y capel oedd y ddolen gyswllt. Yno yr oedd strwythur ac arweinyddion Cymraeg gyda'r wybodaeth am gyfleusterau'r ardal ac am eu cyd-Gymry a'r personau dylanwadol a drigai yno. Gwyddai pobol y capel am gartrefi derbyniol i letya ac yn holl bwysig lle'r oedd gwaith ar gael. Cynigient bob peth angenrheidiol i sefydlu'r alltud, oedd yn arferol heb na theulu na chydnabod yn y fro, a heb fawr o 'grap' ar yr iaith Saesneg heb sôn am wybodaeth o fywyd trefol. Dywed Gwilym Meredydd Jones yn ei hanes am y *Liverpool Welsh National Society* bod 47 o gapeli Cymraeg a 10 o ystafelloedd cenhadol ar y Glannau yn 1896/7 gydag o ddeutu 24,000 o Gymry â chysylltiadau â hwy. Dyblodd nifer y capeli yn hanner cyntaf yr ugeinfed ganrif. Os am gymuned Gymraeg yn yr oes aur grefyddol honno rhaid oedd cael capel!

Yn deillio o hyn daeth Lerpwl a'r cyffiniau a'i chapeli Cymraeg i fod yn ddylanwadol iawn yn enwedig i'r Methodistiaid; cynhaliwyd y Gymanfa Gyffredinol yno bob trydedd flwyddyn hyd at 1938. Denwyd rhai o weinidogion gorau pob enwad i'r capeli mawr gyda'u cynulleidfaoedd lluosog. Roedd Stanley Road yn un o'r rhai mwyaf blaenllaw yn hyn o beth gyda'i gweinidog amryddawn Griffith Ellis a fu'n allweddol i sefydlu Capel Waterloo.

Wrth gyflwyno *Hanes yr Achos* i Gymdeithasfa'r Gogledd yn Heathfield Road yn 1950 dywed y Parchedig Llywelyn Jones, Douglas Road, mai gwanhau oedd hanes Henaduriaeth Lerpwl gyda 30 o eglwysi yn yr Henaduriaeth o'i gymharu â 36 yn 1932. Roedd aelodaeth yr eglwysi wedi gostwng o 9,400 yn 1917 i lai na 4,400 erbyn 1950. Soniodd am y colledion a fu ym mysg gweinidogion yn yr Henaduriaeth yn cynnwys y Parch. Stephen Davies a Mr D. Jones Hughes, Waterloo, a ddaeth i'r ddinas yn ugain oed ac yn bregethwr lleyg rheolaidd yn y cylch am 'flynyddoedd lawer'. O'r llanw mawr cyn yr Ail Ryfel Byd lleihaodd y mewnlifiad o Gymru i Lerpwl; hefyd y brwdfrydedd ynglŷn â chrefydd. Y prif resymau am hyn oedd y dirwasgiad a lleihad mewn masnach a llongau gyda'r

diwydiant cotwm yn dirwyn i ben yn Sir Gaerhifryn. Yn dilyn yn uniongyrchol o hyn nid oedd angen adeiladau ar gyfer masnach na thai i'r gweithwyr. Sychodd y mewnlifiad a dychwelodd llawer o'r Cymry adref; o ganlyniad gwelwyd tlodi a gwasgu cymdeithasol cyffredinnol yn Lerpwl.

Ar ddechrau'r Ail Ryfel Byd newidiodd y gymuned Gymraeg megis dros nos, fel petai, yr wythnos y torrodd y rhyfel allan. Gwelwyd y dynion ifainc yn gadael am y lluoedd arfog. Yr wythnos ddilynol aethpwyd â'r plant 'i'r wlad' gyda'u mamau ac weithiau'r holl deulu – hynny'n arwain at ddirywiad yr Ysgol Sul. Oherwydd y bomio rhaid oedd cynnal oedfaon yn y pnawn yn lle'r nos Sul. Gwaethygodd yr ymosodiadau o'r awyr ym mis Awst 1940 a gadawodd nifer bellach o Gymry gan wanhau'r cynulleidfaoedd. Cafodd amryw o'r canolfannau eu difrodi a phrin yr osgôdd unrhyw un o gapelau Lerpwl niwed gan gynnwys Waterloo. Llwyr ddifethwyd capel Stanley Road, Bootle, ar Mai 4, 1941.

Wedi'r Rhyfel gwnaed ymdrech deg i gynnal ac adfer y capeli gan lansio 'Y casgliad mawr' i ariannu'r holl gynlluniau. Am amryw resymau ychydig o'r Cymry newydd a ddaeth i'r ddinas i weithio fel athrawon, nyrsys, plismyn neu fyfyrwyr a ymaelododd yn yr eglwysi. Hefyd roedd y cymunedau clos Cymraeg yn gwasgaru i'r gymdeithas oddi amgylch a'r plant yn colli eu gafael ar yr iaith – er disgwyliad y Parch. Stephen Davies y byddai iaith y plant oedd yn dychwelyd o Gymru wedi'r rhyfel wedi ei chryfhau a'i gloywi. Erbyn diwedd y chwedegau pallodd cymdeithasau'r ifainc fel yr Aelwydydd, a chan nad oedd teuluoedd ifainc yn dod i'r ddinas nid oedd plant yn dod i gael eu meithrin yn y cyfarfodydd. Gorffennodd 'Gŵyl yr Ysgol Sul' ac 'Eisteddfodau'r Plant' ar y Glannau. Gwanhaodd yr Ysgolion Sul fesul un ac un, gan golli'r holl weithgareddau oedd ynglŷn â'r sefydliad gwerthfawr hwnnw. Cynhaliodd Eglwys Bethel, Heathfield Road, yr Ysgol Sul hyd at ddiwedd degawd cyntaf y ganrif bresennol a gwelir hanes ymdrechion lew'r Eglwys yng nghyfrol *Codi Stêm a Hwyl yn Lerpwl.* Deil nifer helaeth o boblogaeth y Glannau â chysylltiadau Cymraeg ond prin ddau gant ohonynt sy'n aelodau o gapel neu unrhyw Gymdeithas Gymreig. Eto'r syndod yw bod nifer o'r ail a'r drydedd genhedlaeth yn dal i fod yn rhugl yn yr iaith ac eraill â pheth diddordeb mewn cynnal ein diwylliant a dysgu'r iaith.

Pennod 2

Dechreuad yr Achos yn Waterloo

FEL Y MWYAFRIF O'R eglwysi Cymraeg dechreuwyd yr Achos yn Waterloo drwy i ychydig o bobol ymgynnull i ddarllen a myfyrio ar yr Ysgrythurau ac yna ffurfio Ysgol Sul. Ychydig iawn o deuluoedd Cymraeg oedd yn byw yn ardal Waterloo yn y dyddiau cynnar, er bod nifer o ferched ifanc Cymraeg mewn gwasanaeth yno yn nhai helaeth y boneddigion. Tua'r flwyddyn 1867, yn ôl yr hanes, cyfarfu Owen Williams a oedd yn byw yn yr ardal â William Davies, perchennog siop 'Draper' yn Berry Street, Lerpwl, a symudodd gyda'i deulu i ardal iachus Waterloo er mwyn adfer iechyd un o'i blant. Yng nghwmni dwy chwaer duwiol oedd yn gwasanaethu gwragedd y ddau fe'u gwelwyd yn trefnu cyfarfodydd darllen a thrafod 'Y Gair' a dyna ddechreuad yr Achos Gristionogol Gymraeg cyntaf yn Waterloo. Daeth eraill atynt ac aeth Mr Davies gyda gŵr ieuanc, Charles Owen, o gwmpas i gnocio drysau tai'r ardal i ymofyn a oedd genethod Cymraeg mewn gwasanaeth a'u hysbysu am yr Ysgol Sul.

Gwelsant fod angen moddion ar y genethod Cymraeg a ffurfiwyd dosbarth Ysgol Sul ar eu cyfer. Cawsant gefnogaeth gan Eglwys Bootle a daeth y blaenor William Parry yn athro ar ddosbarth y dynion a John Evan Jones at y merched. Oedolion oedd y disgyblion i gyd a daeth yn dynfa i'r Saeson i'w gweld yn ymgynnull i ddarllen y Beibl. Yn achlysurol deuai'r pregethwr a wasanaethai yn Bootle i roddi pregeth Gymraeg ar bnawn Sul ac hefyd cafwyd ambell i bregeth neu gyfarfod gweddi yng nghanol yr wythnos. Drwy ddycnwch yr ychydig cryfhaodd y cynulliad ac fe'i gwelwn yn symud o le i le, am wahanol resymau, am ddeuddeng mlynedd cyn sefydlu'r eglwys. Ar y 9fed Mai 1867, dechreuwyd y cyfarfod ffurfiol Cymraeg cyntaf mewn ystafell yn perthyn i'r Annibynwyr Saesneg yn Church Road. Yn 1871 symudwyd i Gapel y Methodistiaid Cyntefig

yn Albert Road. Drwy ryw anghydfod yn 1872 aeth rhif yr Ysgol Sul i lawr ond llwyddodd Edward Peters trwy ei ddylanwad fel aelod Gyfrinfa y Temlwyr Da i gadw'r Ysgol i fynd yn eu hystafell yn 6 Church Road ac yna ymlaen i gapel y Wesleiaid Saesneg yn Wesley Street. Gwellhaodd yr aelodaeth unwaith eto gan gynyddu'n raddol nes yn Ebrill 15, 1877, ardrethwyd yr 'Assembly Rooms' yn East Street gan Mr Peters. Wedi cael cartref iddynt eu hunnain bu gymaint o lwyddiant ar yr achos fel y trefnwyd cyn hir, gyda chynorthwy brodyr o Bootle, gael tri gwasanaeth y Sul – Ysgol y bore; pregeth yn y prynhawn a chyfarfod gweddi yr hwyr. Wedi'r llwyddiant bu gwrthdaro unwaith eto ymysg yr aelodau; ymadawodd nifer a bu rhaid gadael yr *Assembly Rooms* am na fedrent fforddio'r rhent. Cynhaliwyd 'Te Parti Cymreig' a chyngerdd gan y gweddill ffyddloniaid i hysbysu'r Ysgol Sul Gymraeg a daeth nifer o gyfeillion o Bootle a Lerpwl i gynorthwyo, ac er mawr lawenydd gwnaed elw o £9/0/6d. Penderfynwyd rhoddi y swm hwn heibio, "i ddechrau cronfa at adeiladu capel". Gweledigaeth syfrdanol ynte. Roedd hwn yn gyfnod pwysig yn hanes yr Achos a daeth nifer o deuluoedd Cymraeg i'r ardal gan adfywio'r Ysgol Sul a chodi dymuniad am sefydlu eglwys. Aethpwyd yn ôl i ystafell yr Annibynwyr Saesneg yn Church Road – 'lle bu dechrau'r daith'. Mewn cyfarfod ar nos Fercher, Hydref 22ain, 1879, o dan lywyddiaeth y Parch. Griffith Ellis, Bootle, penderfynwyd: "Fod moddion angenrheidiol yn cael eu defnyddio i gael cangen eglwys yn y gymdogaeth hon."

Daeth y cais gerbron Cyfarfod Misol Liverpool ar Tachwedd 5ed, 1879, a dywaid y cofnodion, "Cafwyd cais o eglwys Bootle am sefydlu achos rheolaidd yn Waterloo. Crybyllwyd fod nifer o gyfeillion yn ymgynnull i addoli yn y lle hwnw ers cryn amser, ac fod yn y gymdogaeth oddeutu 40 o aelodau eglwysig, perthynol i Bootle gan fwyaf, a'u bod yn aeddfed bellach i sefydlu achos rheolaidd. Penderfynwyd, "Ein bod yn caniatâu y cais, ac yn ymddiried y gwaith o sefydlu eglwys yn Waterloo i Weinidog a Blaenoriaid Bootle, yn nghyd a'r (*sic*) Parch. O. Owens a Mr John Lewis, Hope Street".

Yn unol â'r penderfyniad sefydlwyd eglwys Waterloo ar nos Fercher, Tachwedd 26ain, 1879, o dan arweiniad y Parchedig Griffith Ellis. Dywaid un adrodiad fod tri ar hugain yn bresennol, ac i ddeunaw gyflwyno eu papurau aelodaeth y noswaith honno. Ar ddiwedd y flwyddyn, yn ôl

Ystadegau y Cyfarfod Misol, rhifai'r aelodau chwech a deugain. Dewiswyd Edward Peters, M. J. Parry, W. J. Hughes a Robert Jones yn Gyfeisteddfod i arolygu'r Achos ac yn nechrau Chwefror 1880, dewiswyd y tri cyntaf yn flaenoriaid. Mae rhestr cyflawn o holl flaenoriaid yr Eglwys yng nghefn y llyfr.

Gweinyddwyd yr Ordinhad o Swper yr Arglwydd am y tro cyntaf dan arweiniad y Parchedig Griffith Ellis yn yr eglwys newydd ddi-gapel ar brynhawn Sul, 4 Ionawr, 1880. Cafwyd y bedydd cyntaf, sef Robert Jones Hughes, mab William a Mary Hughes, The Elms, Claremont Road, Seaforth, ar nos Wener y 30ain o'r un mis.

Gwelir fod y Parchedig Griffith Ellis MA, Bootle, yn gefnogol i'r Achos o'r dechrau ac addas iawn oedd rhoddi ei lun, a gludwyd o Stanley Road ar yr uniad ym Methania, o flaen y pulpud yng ngwasanaeth olaf capel Waterloo. Gŵr amryddawn cadarn oedd Griffith Ellis a enillodd radd gydag anrhydedd yng Ngholeg Balliol Rhydychen er iddo ymadael o ysgol Aberllefenni yn ddeuddeg oed. Derbyniodd yr alwad i Stanley Road yn 1873 ddwy flynedd cyn iddo raddio. Daeth i Bootle yn 1875 ac ni symudodd o'i ofalaeth hyd iddo ymddeol ym mis Medi 1911. Bu'n fugail gofalus i'w braidd niferus, yn athro, yn arweinydd crefyddol, dinesig a gwleidyddol, a chyflawnai hynny mewn cylchodd Saesneg a Chymraeg. Bu yn olygydd papurau'r enwad a chyhoeddodd amryw o lyfrau ac esboniadau. Griffith Ellis a draddododd y "Ddarlith Davies" gyntaf a cafodd ei ethol i swyddi uchaf y Cyfundeb. Nid oedd pall ar ei weithgarwch ac amharodd hyn yn drwm ar ei iechyd. Mae adlewyrchiad yn ei fywyd a'i waith i'n gweinidog presennol y Parchedig Dr D. Ben Rees!

Yn 1880 dewiswyd y Blaenoriaid cyntaf, sef Edward Peters o Fynydd Isaf, Morris J. Parry o Dinorwig a William John Hughes a aned yn Lerpwl. Dywedwyd eu bod yn ddynion ymroddedig a diwylliedig, a "llawer o ogoniant a wnaeth yr Arglwydd drwyddynt hwy".

Masnachwr glo oedd Edward Peters a honnai mai ef oedd y Cymro cyntaf i fyw yn ardal Waterloo – er bod y Parch. Edward Owen yn gurad yn Crosby tua 1750. Nid oedd ef fodd bynnag yn ymhyfrydu yn ei Gymreictod er dirfawr siom i'r bardd clasurol Goronwy Owen. Melltithiai ef Edward Owen yn ystod ei gyfnod byr yn athro a chiwrad Eglwys y Plwyf, Walton. Mynychai Edward Peters Eglwys Miller's Bridge, Bootle, ac

o'r cychwyn gwnaeth lawer o waith allweddol i sefydlu'r Achos Gymraeg yn Waterloo. Mae cytundeb o dan ei law ym mhapurau'r eglwys ddyddiedig 15fed Hydref, 1877, yn rhentu'r Assembly Rooms, East Street, am chwe swllt yr wythnos ar gyfer yr Ysgol Sul Gymraeg a chyfarfod gweddi bob nos Fercher. Yn ôl pob golwg bu rhyw anghydfod rhwng y blaenoriaid ac ymadawodd Edward Peters yn ôl i Bootle yn 1881. Dychwelodd yn fuan i Waterloo ond yn ôl yr Adroddiadau ni osodwyd ef eilwaith yn ei swydd fel blaenor.

Cyhoeddwyd Adroddiad Blynyddol cyntaf yr eglwys yn 1881 ac ymddengys mai prif bwrpas y rhain oedd rhestru'r aelodaeth a'r cyfrifon ariannol. Dengys yr adroddiad cyntaf aelodaeth o 90 (71 yn fenywod di-briod) ynghyd â phymtheg o blant a dau 'ddiacon', sef Mri W. J. Hughes, Claremont Road a M. J. Parry, Hicks Road. Ymddengys enw Edward Peters fel aelod am y mis olaf o'r flwyddyn gyntaf. Cofnodir llawer o fynd a dod yn yr aelodaeth gyda 61 yn cyflwyno eu 'papur aelodaeth o eglwysi eraill' a 38 yn ymadael. Mae'r Ysgol Sabothol mewn bod gyda 80 o ysgolheigion dros 15 oed a 10 o dan yr oedran yn cael eu harwain gan 5 athro ac 1 athrawes. Mae dau dderbyniad ariannol yn cael eu nodi yn arbennig – un am £1 gan 'Mrs Christian, trwy law Miss Mary A. Rowlands' a'r llall am 10 swllt gan Miss Mary Thomas, 19 Great George's Road – mistresi gofalus a chefnogol tybed?

Ymddengys fod y pymtheng mlynedd cyntaf yn ddigon anodd i'r eglwys ifanc, a dioddefwyd colledion trymion ym marwolaeth ac ymadawiad llawer o frodyr da. Disgynnodd baich arolygiaeth yr eglwys yn drwm ar ysgwyddau'r ddau flaenor, sef Morris J. Parry a William J. Hughes. Daeth y cyntaf o ardal chwareli Sir Gaernarfon yn ddyn ifanc iawn: "Gŵr cryf, deallus, o feddwl diwylliedig, gweithiwr rhagorol. Dringodd drwy ei allu a'i gymeriad i swydd gyfrifol fel Prif Glerc y Bwrdd Lleol". Ganed William J. Hughes yn Lerpwl ond symudodd i'r Gaerwen yn ddeg oed. Bu'n ysgol feistr yn Llanfyllin cyn symud yn ôl i Lerpwl. "Gŵr boneddigaidd, yn meddu ar lawer o allu a gwybodaeth". Talwyd teyrnged haeddiannol i'r ddau am eu gwasanaeth amhrisiadwy i'r eglwys.

Roedd cysylltiad tiriogaethol a naturiol rhwng Eglwys Miller's Bridge, Bootle a Waterloo a'r eglwys yno a roddodd y cymorth a'r arweiniad i ddechreuad yr Achos. Yn ystadegau Eglwys Miller's Bridge am y flwyddyn

1870 ymddengys, am y tro cyntaf, sefydliad cangen 'Ysgol Sul Waterloo', gyda 53 o aelodau.

Noda Hugh Evans, Cwm Eithin, yn y gyfrol gyntaf o *Camau'r Cysegr* (sef hanes Eglwys Stanley Road, Bootle) i nifer o aelodau'r eglwys ymadael o Eglwys Miller's Bridge yn 1879 i sefydlu'r eglwys yn Waterloo. Dywed fel y cerddai dau flaenor o Bootle, sef William Parry ac Elias Morris yno am gyfnod hir i fod yn athrawon Ysgol Sul a gofalu am y Cyfarfod Gweddi. Erbyn amser sefydlu'r eglwys yr oedd poblogaeth Waterloo yn cynyddu yn gyflym gyda nifer o Gymry yn mynd yno i fyw, a llawer iawn o chwiorydd mewn gwasanaeth.

Prif reswm dros sefydlu'r achos newydd yn Waterloo oedd yr anhawster teithio o'r ardal i'r capel yn Bootle. Roedd o leiaf dri chyfarfod ar y Sul a nifer helaeth o gyfarfodydd yn ystod yr wythnos yn Bootle. Nid oedd trafnidiaeth gyhoeddus ddibynnol ar y pryd ac felly rhaid oedd cael capel y gellid cerdded iddo! Roedd yn oes gynhyrfus a symudol i'r Cymry ac i boblogaeth Lerpwl yn gyffredinol. Cadwodd y Parchedig Griffith Ellis ystadegau yn dangos fod 1,230 wedi ymaelodi yn Stanley Road rhwng 1874 a 1883 ac nad oedd ond 87 o'r rhai a ymaelododd yn y flwyddyn gyntaf yn parhau yn eu haelodaeth ar ddiwedd y degawd.

Galwyd y Parchedig William Henry, Pontypridd, i fod yn weinidog cyntaf yr Eglwys yn 1897 ac ymadawodd am ofalaeth yn Port Talbot wedi dwy flynedd a'r hugain o wasanaeth. Dilynwyd ef gan y Parchedig Howell Harris Hughes, BA, Bangor, fel ail weinidog Waterloo yn 1921 ac ymadawodd yntau i Siloh, Llandudno, yn 1925.

Bu'r Eglwys yn ddi-fugail hyd 1927 pryd y galwyd y cenhadwr, y Parch. D. Stephen Davies, M.A. ac yna daeth y Parchedig R. Maurice Williams, B.A. o Fae Cemaes, Môn, yn 1951 i fod yn weinidog olaf Eglwys Waterloo.

Diwedda y Parchedig John Hughes Morris ei gyflwyniad i'r Eglwys yn ei ail gyfrol, *Hanes Methodistiaeth Liverpool yn 1932*, fel hyn:

> Pan ysgrifennir y gyfrol hon, ceir arwyddion fod dyfodol llewyrchus yn aros yn Eglwys Waterloo. Datblygodd y gymdogaeth yn rhyfeddol o gyflym yn y blynyddoedd diwethaf; ymestyn yn awr ym mhell tuhwnt i Blundellsands a Great Crosby, a cheir eisioes amryw deuluoedd Cymreig wedi symud i'r rhannau dymunol hyn i fyw. Ar

ddiwedd y flwyddyn 1930 safai cyfrifon yr eglwys fel a ganlyn: Cyflawn aelodau 415; plant 70; yr holl gynulleidfa 535.

Waterloo oedd y capel olaf Cymraeg o unrhyw enwad i'w sefydlu yn y Gogledd, er i ardaloedd newydd ddatblygu yn Crosby, Formby a Freshfields. Roedd capel Cymraeg Southport eisioes wedi ei sefydlu er 1871 ar gyfer ymwelwyr a morynion oedd yn gweini yn y dref. Unwyd Southport gyda Bethania ar ddechrau'r flwyddyn 2001. Erbyn hyn nid oes ar ôl yr un o'r 12 aelod na'r blaenor, y diweddar Mrs Gwyneth Evans, a ddaeth atom i Fethania. Daw Mr David Evans, mab Gwyneth, atom yn achlysurol.

Pennod 3

Adeiladu Eglwys Waterloo

WEDI PETH YMRESYMU ynglŷn â'r lleoliad symudwyd ymlaen yn 1882 i adeiladu'r capel ar dir a brynwyd gan David Fernie yn Crosby Road South am bris o £2,500.00. Samuel Webster, Bootle oedd y contractwr. Menter aruthrol gan yr arweinwyr a chysidro maint yr aelodaeth a'r ddyled. Erbyn y flwyddyn 1882 tyfodd yr aelodaeth i 122 ond diarddelwyd 2 aelod – paham tybed? Ffolineb? Tristwch! Ni wyddom ond roedd safonau yn medru bod yn eithafol o lym a chul yn yr oes a fu. Gafaelwyd yn y gwaith i ariannu'r fenter gyda chyfraniadau'r aelodau, darlithoedd a *Welsh Tea Party*, a gwerthwyd 686 o docynnau ar ei gyfer! Roedd yn amlwg yn dynfa i'r cyhoedd. Cafwyd lluniaeth o de, buns a ham; a chôr yn diddori'r gwesteion a chyfraniad gan Megan Môn fel unawdydd. Gwelwn yn yr adroddiadau fod y *Tea Party* yn sefydliad blynyddol ac yn llwyddiannus iawn yn ariannol a hynny hyd at 1904. Derbyniwyd dros £981 o'r holl weithgareddau i'r coffrau am y flwyddyn gyntaf.

Bu tyfiant cryf a chyson yn yr aelodaeth ac yn 1886 nodir fod 250 o 'wrandawyr' nad oedd ganddynt docyn aelodaeth yn mynychu'r oedfaon. Yn y flwyddyn hon gwnaed casgliad 'i gynorthwyo'r dioddefwyr yn Llanberis mewn canlyniad i'r cload allan yn chwarel Dinorwig', bro mebyd Moses J. Parry.

Galwyd y Parchedig William Henry, o gapel Saesneg St David's, Pontypridd, yn weinidog ar yr Eglwys a sefydlwyd ef mewn gwasanaeth ar 6ed Gorffennaf 1897. Yn ei gyflwyniad i'r Adroddiad canmolai'r cydweithrediad a'r llafur cyson yn clirio dyled yr Eglwys o £2,500. Dywed:

> Disgwyliwn cyn hir feddu ysgoldy cyfleus, a chapel wedi ei lanhau, ei awyru a'i gynhesu. A gobeithiwn na fydd y draul hon eto'n hir

heb ei chlirio. A pha beth bynnag a geisiwn ei gyflawni cofiwn mai "datod gweithredoedd y diafol; ceisio a chadw y colledig oedd ac yw gwaith ein Harglwydd trwy ei bobol. Am hynny cymerwn atom holl arfogaeth Duw, gan weddïo pob (*sic*) amser, a phob ryw weddi a deisyfiad yn yr ysbryd dros yr holl saint, *a throsof finnau* fel y rhodder i mi ymadrodd, trwy agoryd fy ngenau yn hyf i hysbysu dirgelwch yr Efengyl".

Tyfodd yr aelodaeth yn syfrdanol yn ei flwyddyn gyntaf. Gwireddwyd ei ddymuniad am lanhau'r capel a chodi'r Ysgoldy Mawr yn y flwyddyn ddilynol ar gost o £1,200.

Gwelir hysbyseb ar gefn Adroddiad 1897:

> 'Cartref i Ferched Cymreig', Gwalia, 2 Hope Place, Liverpool, dan arolygiaeth Cyfeisteddfod o Gynrychiolwyr y gwahanol enwadau. Amcan y sefydliad uchod ydyw rhoddi lletty a hyfforddiant i Ferched Gweini Cymreig tra allan o wasanaeth neu ar eu dyfodiad cyntaf i'r Ddinas. Ymofyner â Miss K. M. Davies, Lady Superintendent.

Roeddynt am warchod y merched ifainc, dibrofiad o Gymru.

Ar droad y ganrif roedd bwrlwm o weithgareddau a restrir fel a ganlyn:

Trefn y Moddion:

10 a.m.	Cyfarfod Gweddi
10.30 a.m.	Pregeth
1.45 p.m.	Cyfarfod y Plant
2.30 p.m.	Ysgol Sul
6 p.m.	Pregeth

Band of Hope	Nos Iau
Cyfarfod Gweddi	Nos Lun
Cyfarfod Eglwysig	Nos Iau
Cyfarfodydd Darllen	Nos Lun a Nos Iau (Y Gaeaf)
Dosbarth y Tonic Sol-ffa	Nos Fercher

Roedd amryw gymdeithasau a dosbarthiadau yn gyson dyfu yn cynnwys Dosbarth Darllen i rai dros 16 mlwydd o oed.

Roedd bro Waterloo yn ffynnu a'r aelodau yn frwdfrydig a hael, nid yn unig i'r eglwys ond hefyd i ofynion oddi allan fel y *Welsh Military Hospital*; *Transvaal War Fund*; Achosion Saesonig; Dirwest ac at y Morwyr. Y Drysorfa Gynorthwyol; Gronfa Fenthyg; Undeb Ysgolion Sul; y Symudiad Ymosodol; Genhadaeth Gartref; Genhadaeth Dramor; Cymdeithas Beiblau; Cymdeithas Lenyddol; Ymdrech Grefyddol a Dyled y Capel. Cydnabuwyd y gweinidog yn hael am ei arweiniad doeth ac am gyfraniad ei deulu i'r eglwys ym mhob ffordd.

Nodwyd gan y gweinidog yn Adroddiad 1904, Blwyddyn y Diwygiad: "Yn ystod Tachwedd a Rhagfyr yr oedd ein calon yn llosgi ynom wrth glywed am yr adfywiad bendithiol yng Nghymru. A chyn hir cawsom brofi ei fod yn cyfnewid y temheredd ysbrydol yn ein plith ninnau. Teimlwn erbyn hyn y bydd ei ôl arnom am byth . . . Yn wir, gwelir fod mwy wedi dyfod atom o'r byd y misoedd diweddaf nag a ddaeth odid un flwyddyn yn flaenorol". Dywedodd: "Bellach o ran nifer ac adnoddau yr ydym yn gryfach nag erioed ac felly y dylai fod ein dylanwad yn y gymuned". Sefydlwyd Pwyllgor i 'Ymweld ag esgeuluswyr a gofalu am y tlodion'.

Erbyn y flwyddyn 1906 penderfynwyd helaethu'r capel a'r ysgoldy ac ystafelloedd eraill oherwydd prinder seddau i'w gosod. Gwnaed hyn yn y flwyddyn ddilynol gan gynnwys Tŷ Capel fel fflat uwchben yr Ysgoldy Bach. Ail agorwyd y capel ym mis Mai 1908 gydag aelodaeth o 301; roedd wedi ei addurno ac mae'n debygol mae dyma'r pryd y rhoddwyd y sgrôl 'Sancteiddrwydd a weddai i'th Dŷ o Arglwydd Byth' ar fur y capel a orchuddiwyd gan bibellau'r organ yn 1914. Ni wyddai'r un o aelodau'r eglwys am y sgrôl nes i'r organ gael ei thynnu i lawr wrth ymadael o'r adeiladau.

Pennod 4

Galwad a Gweinidogaeth y Parchedig William Henry

YN Y FLWYDDYN 1897, fel y gwelwyd yn y bennod olaf, galwyd y Parchedig William Henry fel y gweinidog cyntaf i fugeilio eglwys Waterloo. Cyn hyn yn Adroddiad Blynyddol yr Eglwys am 1889 enwyd y Parchedig John Pugh B.A., a ymddeolodd o'i ofalaeth yn Nhreffynnon oherwydd cyflwr ei iechyd a dod i fyw at un o'i blant yn Seaforth, fel 'Gweinidog yr Eglwys'. Ni ddengys y cyfrifon ariannol iddo dderbyn cydnabyddiaeth. Bu'n gymorth mawr i'r brodyr i drefnu gweithgareddau'r eglwys ac i'w sbarduno i chwilio am weinidog i arwain yr Achos newydd. Ond byr fu ei arhosiad, a bu farw ar Ionawr 3, 1891.

O'r dechrau bendithiwyd yr Eglwys gydag arweinyddion cryf o argyhoeddiad a gweledigaeth ond yn dueddol i anwybyddu awdurdod Cyfarfod Misol Liverpool. Yn wir ymddengys fod anghydfod annifyr rhwng y blaenoriaid eu hunain ar adegau. Ar ddechrau 1893 trefnwyd Pwyllgor Bugeiliol lleol i gynnwys y *Finance Committee* a naw perchennog tŷ i'w cael eu hethol. Enwyd 16 o weinidogion ond gwrthododd pob un ohonynt yr alwad. Yn dilyn hyn daeth gair o'r Cyfarfod Misol yn mynnu bod y pwyllgor i ddod dan ei reolaeth. Roedd Eglwys Peel Road a leolwyd tua milltir a hanner i ffwrdd i gyfeiriad Bootle yn awyddus i rannu yn yr ofalaeth. Yn y diwedd rhaid oedd cydymffurfio â rheolau'r Cyfundeb a ffurfio Pwyllgor Bugeiliol dan ofalaeth y Cyfarfod Misol. Cawsant arweiniad a chymorth y Parchedig Griffith Ellis, Bootle, ac wedi llawer o lythyru a pherswâd gyda nifer o weinidogion, llwyddwyd i alw'r Parchedig William Henry, Pontypridd. Yn gynwysedig yn yr ohebiaeth dywed Griffith Ellis: "Dichon i chwi glywed bu amser yn ôl pan oedd rhyw bethau nad oeddynt yn hollol gysurus yn yr Eglwys – ond dim byd i betruso yn erbyn derbyn

galwad" ac aeth ymlaen i ganmol yr Eglwys, y fro a'r Cylch Pregethu. Disgrifiodd atyniadau'r Eglwys a oedd gyda 169 o aelodau:

> . . . yn faes gwir ddeniadol gyda'r gweinidogion yn newid pulpudau a chael cyfle i fynd allan o'r Cylch ar adegau. Cael bod adref braidd pob Sadwrn a Sul er weithiau rhaid mynd i aros noson am fod Waterloo ychydig o'r neulldu i drafeilio erbyn bore Sul. Lle dymunol i bregethu yn y Cylch. Poblogaeth Cymreig Waterloo ddim yn fawr iawn. Dyled fechan ar y Capel. Teuluoedd mewn amgylchiadau cysurus a nifer o chwiorydd ifainc sydd yn symud yn amal.

Cytunodd William Henry i'w enw gael ei roi gerbron yr eglwys mewn llythyr dyddiedig 6ed Chwefror 1897 a chymerwyd 'Llais yr Eglwys' ynglŷn â'i alw ar 23ain Chwefror 1897 – deng mlynedd wedi i'r capel gael ei adeiladu. Daeth i'w ofalaeth ym mis Awst yr un flwyddyn. O'r dechrau daeth llwyddiant iddo yn ei weinidogaeth a chynyddodd yr aelodaeth ac yn y flwyddyn ganlynol, oherwydd y cynnydd rhaid oedd ehangu'r capel ac adeiladu dwy adain ar ffurf groes a galeri ar gost o £1,331. Mae'r pwyllgorau ynglŷn â threfniadau a gweithgareddau'r Eglwys yn ehangu i bob cyfeiriad o dan ei arweiniad ef a'i wraig (na enwyd ond fel Mrs Henry yn unman!). Roedd yn frwd i sefydlu llyfrgell a chytunodd y Gweinidog i wneud adroddiad o hanes yr eglwys o'r cychwyniad hyd at y flwyddyn 1909 gan rwymo'r Adroddiadau Blynyddol a'u rhoddi yn y llyfrgell ar gyfer y dyfodol. Gwelir yr Hanes yn ei chyfanrwydd yn Atodiad I. Ymddengys fod braidd pob anghydfod wedi ei dawelu o dan arweiniad y gweinidog a chafodd gefnogaeth frwd yn yr holl weithgareddau.

Er bod y boblogaeth a'r gymdeithas Gymraeg ar y Glannau yn ffynnu yng nghyfnod ei fugeiliaeth roedd bywyd yn anodd a chymhleth. Roedd gwaith ar gael i lawer ond roedd newidiadau cyson yn tanseilio safonau cyfarwydd bywyd y mewnfudwyr. Yn y blynyddoedd cyntaf o'i ofalaeth mae'r llyfr cofnodion yn frith o achosion disgyblu'r aelodaeth ynglŷn â meddwdod, diffygion moesol, a'u absenoldeb o oedfaon a gweithgareddau'r capel. Gohirwyd amal i achos gyda'r aelod yn cael ei roddi 'Ar brawf' am gyfnod – hyn yn dangos pwysigrwydd aelodaeth eglwys ar y pryd.

Roedd effaith y ddiod feddwol yn y gymdeithas yn gyffredinol yn broblem aruthrol ac ymaflodd yr eglwysi ac eraill; megis heddlu Lerpwl; drwy ymgyrch ddirwestol ac ymrwymiad i'r gwystl gwelwyd nifer o bobl frwd gyda'r mudiad Dirwest yn ardal Waterloo a Crosby. Pasiwyd nad oedd alcohol i fod yng ngwin y Cymun yn Waterloo.

Gwasanaethodd y Parchedig William Henry'r Eglwys yn ddiwyd a doeth am ddau deg a dau o flynyddoedd er iddo gael gwahoddiad i fynd i ofalaethau haws eu trin. Bu mewn cyfyng gyngor ar un pryd i fynd i'r maes genhadol. Ni daeth dim o'i ddymuniad i deithio i'r India bell ond gweithiodd ef a'r teulu yn ddiwyd ar ran y Genhadaeth Dramor, oedd â'i swyddfa yn Falkner Street, Lerpwl. Llywyddodd yr eglwys yn ddoeth drwy gyfnod anodd Rhyfel Mawr 1914-18 cyn derbyn galwad i Bort Talbot yn Morgannwg yn 1919.

Gwelir canlyniadau ei waith yn helaethu'r adeiladau ac yn edrych ar ôl y milwyr a'u teuluoedd yn ystod y Rhyfel Byd Cyntaf yn y bennod ddilynol.

Pennod 5

Rhyfel Byd 1914-18

AETH NIFER O DDYNION ifainc Capel Waterloo i'r lluoedd arfog a'r llynges a chawsant eu hanrhydeddu ar y *Roll of Honour* a arddangoswyd yng nghyntedd y capel. Bu'r Gweinidog ac aelodau'r Eglwys yn cysylltu â hwy gan anfon llythyrau, anrhegion ac yn y blaen. Wedi'r rhyfel cawsant nifer o wasanaethau a phartïon i groesawu'r dewrion gartref. Er mor erchyll oedd y rhyfel hwn ni amharodd fawr ar fywyd y cyhoedd a'r Eglwys, heblaw pryder y teuluoedd a'r Eglwys am y rhai oddi cartref a'r hiraeth am y rhai a gollwyd.

Roedd brwdfrydedd mewn llawer i Eglwys dros Ryfel Byd 1914 ac yn debygol i fod yn antur ac anrhydedd i'r dynion ifainc ymuno â'r Fyddin neu'r Llynges i amddiffyn Prydain ac Ewrop. Dangoswyd balchder yr Eglwys yn y dynion wrth eu henwi yn yr Adroddiad Blynyddol ac ar 'Rhestr er Anrhydedd' yng nghyntedd y capel.

Er y brwydro, y lladd a'r anafu erchyll a fu ar gyfandir Ewrop, gellir maentumo mai ymylol mewn sylw braidd ydoedd y rhyfel ar y dechrau am ei fod yn bell i ffwrdd. Wrth gwrs roedd yr hiraeth a'r ofn am y bechgyn oedd yn Ffrainc yn cynyddu yn enwedig pan ddaeth y wybodaeth am eu hamgylchiadau a'r peryglon oeddynt yn eu hwynebu. Gwelwyd cynnydd yng ngwaith yr Eglwys yn paratoi cysuron i'r rhai oddi cartref a hefyd yn gweinyddu i'r milwyr Cymraeg a ddaethai i'r gwersylloedd o gwmpas Waterloo. Roedd nifer o wersylloedd milwrol yn yr ardal yn cynnwys Litherland, lle y bu'r bardd Hedd Wyn am gyfnod cyn mynd i faes y gad yn Ffrainc. Tybed a fu yng nghapel Waterloo? Rhyfel fer oedd hon i fod ond nid felly y bu.

Lleisiwyd pryderon ynglŷn â Rhyfel Byd Cyntaf tua diwedd Anerchiad y Gweinidog yng nghofnodion 1914 ond roedd yr Eglwys a phob peth arall

yn dal i ffynnu. Rhyfel dramor oedd hon nad oedd yn amharu ar fywyd trigolion ein gwlad na Lerpwl, heblaw colli dylanwad y dynion ifanc dewr oedd yn gwirfoddoli – hyd at Mawrth 1916 pan ddaeth rheidrwydd – i ymuno a'r fyddin

Ysgrifennodd y Gweinidog y Parchedig William Henry yn 1914:

> Yr ydym ninnau fel eraill, wedi gorfod teimlo oddi wrth y Rhyfel. Ac wrth edrych ar ehangder y Rhyfel bersonol – ar fôr a thir, ie yn y môr, ac yn yr awyr, da yw cofio mai rhan yn unig yw hon o'r Rhyfel arall ehangach, yr hon y mae Mab Duw yn datod gweithredoedd y diafol, a'n bod oll i gymryd rhan yn hon, gartref neu oddi cartref. Dyma nifer dda o'n gwŷr ieuanc wedi ymrestru, ac erbyn hyn, rai ohonynt ar faes y frwydr, a chant oll ein cefnogaeth a'n gweddïau ar eu rhan. Amlygwyd diddordeb yr eglwys ynddynt mewn modd hapus iawn noson yr *Organ Recital* ym mis Tachwedd, pan gyflwynwyd iddynt bob un *Gold Pendant*, a chopi o'r Testament Newydd. A da gennym edrych ar y *Roll of Honour* gelfydd a phrydferth, a baratowyd gan Mr W. S. Roberts, ac a roddwyd ym mhorth y capel. Ein dymuniad ydyw ar i Dywysog Tangnefedd adfer heddwch cyffredinol a pharhaol yn fuan, i'n brodyr dewr gael dychwelyd yn iach a dianaf i'n plith eto; a'n gweddi ydyw ar i Dduw pob gras barhau i fendithio eu hymdrechion, a'u hamddiffyn o ran eu cymeriadau a'u personau.

Dechreua ei Anerchiad am 1915:

> . . . blwyddyn mor derfysglyd yn hanes y byd . . . parha Eglwys Dduw i gyhoeddi egwyddorion sy'n sicr o gynhyrchu cydweithrediad a thangnefedd cyn bo hir, er y gelwir arni i ymdrechu, milwrio, a dwyn y groes, mewn hunanymwadiad ym mhlaid cyfiawnder a rhyddid. Cofir yn hir am y flwyddyn ddiwethaf gan yr Eglwys a'r byd yn gyffredinol, fel adeg y profwyd cymeriadau miliynau trwy dân ysol . . . Erbyn hyn gwelir fod ein Rhestr Anrhydedd wedi mwy na dyblu'r hyn ydoedd flwyddyn yn ôl, ac amryw o'n gwyr ieuanc yn Ffraingc a lleoedd eraill yn gwneud eu goreu dros eu gwlad.

> Gellir ychwanegu fod nifer mawr o'n brodyr sydd ar y môr yn gwneud gwasanaeth eithriadol o bwysig yn y cyfwng presennol, yng nghanol peryglon amrywiol. Ac mor ddiolchgar y delem fod am yr amddiffyn sydd wedi ei estyn gan Dduw dros filwyr a morwyr yr Eglwys hon hyd yma.

Bu'r *Roll of Honour* ym mhorth y capel Waterloo hyd symud o'r adeiladau, yn rhestru 41 o enwau. Tyfodd y Rhestr Anrhydedd o 24 yn 1915 i 32 yn 1916 i 38 yn 1917 ac i 41 erbyn diwedd y rhyfel. Y syndod oedd er y colledion ymunodd eraill yn y lluoedd arfog pob blwyddyn.

Bu ymdrech arbennig gan yr Eglwys i ofalu am gysuron i'r milwyr yn lleol ac ar faes y gad. Soniodd Miss Heulwen Lewis fel y byddai'r aelodau yn mynd â'r milwyr i'w cartrefi i gael bwyd a chysur wedi'r gwasanaeth. Gwerthfawrogwyd yr hyn a wnaed i ddiddanu'r clwyfedigion a'r cleifion o fewn cyrraedd trwy ymweliadau a chyfarfodydd arbennig ar eu cyfer yn yr Ysgoldy. Dywed y gweinidog:

> Mae yn amlwg fod y cyfarfodydd adloniadol pob nos Wener, ar gyfer y milwyr Cymraeg oedd yn y gwahanol wersylloedd lleol yn fawr fwynhad iddynt hwy a ninnau oll. A cham yn yr iawn gyfeiriad yw rhoddi un o'n hystafelloedd i'w gwasanaeth bob prynhawn Sadwrn. Llonder mawr i ni yw fod nifer dda o'r milwyr Cymreig yn mynychu y Cyfarfodydd Gweddi a'r Seiat, ac yn cymryd rhan ynddynt. Profa hyn eu bod wedi eu magu mewn eglwysi byw a chynnes yn y wlad. Wrth edrych ymlaen at ddiwedd y rhyfel; oblegid teimlwn yn hyderus nad yw y diwedd ym mhell erbyn hyn. (Adroddiad 1915!)

Yn Adroddiad 1916 dywed y Parchedig William Henry:

> . . . ond y mae yn amlwg fod yr Eglwys yn fyw i'w rhwymedigaeth i'n milwyr a'n morwyr yn yr adeg rhyfedd hon yn hanes y byd. Ac y mae y gofal a ddangosir, trwy yr Ysgol Sabbothol yn bennaf, am ein brodyr sy'n dyfod atom o'r gwersylloedd cyfagos yn cyrraedd amcan daionus iawn, fel y dengys llythyrau dderbynnir o bob rhan o'r byd.

Cofiwyd am ddau a laddwyd ar faes y gad – "Mr T. Morris, Tuscan Street a Mr E. Jones, Ferndale Road – dau hoffus ac annwyl iawn – a roesant eu heinioes dros eu gwlad". Yng nghanol Anerchiad 1917 am y rhai 'Symudwyd o'n plith i'r Eglwys Fuddugoliaethus yn y Nef' "y mae 'y Lieut. David T. Parry, Gordon Road' – un a fagwyd yn yr Eglwys a fu yn ddiwyd yn ei gwasanaeth, a roddes ei einioes dros ei wlad ym mlodau ei ddyddiau."

Yn Anerchiad am y flwyddyn 1918, dyddiedig Mawrth 11eg, 1919, mae y Gweinidog yn cyflwyno diolchgarwch i'r Arglwydd am i gysgodion y gaeaf du a ddaeth ar ein byd bedair blynedd ynghynt fynd heibio. Dywed: "Ar ôl 'Yr Armagedon Fawr' daw 'Y Ddaear Newydd'. Ni gofiwn yn serchog y dewrion roesant eu cwbwl dros eu gwlad – y rhai aethant allan o'n plith ni yma, – y rhai a glwyfwyd ac a adferwyd i fesur, ac eraill sydd eto ymhell yn wynebu peryglon a heintiau yn dawel a gwrol. Drwg iawn gennym fod un, sef Mr T. Henry Jones, ar goll ers mis Mehefin diweddaf" (9 mis yn gynharach). Cyhoeddwyd y newydd trist am ei farwolaeth yn Adroddiad 1919.

Roedd nifer y 'Gwrandawyr' rhwng 550 a 600 yn ystod blynyddoedd y rhyfel a llawer ohonynt yn debygol wedi dod o'r gwersylloedd milwrol gerllaw lle yr oeddynt am gyfnodau byr o hyfforddiant. Yr oedd y capel ran amlaf dan ei sang.

Anfonwyd parseli Nadolig i Ffrainc ac i'r aelodau milwrol yn y wlad yma.

Casglwyd £731 at y gwahanol bethau yn ystod y flwyddyn yn cynnwys casgliadau at Genhadaeth y Milwyr; gwely i'r milwyr a'r morwyr yn Ysbyty Southport; cysuron i'r milwyr clwyfedig yn Ysbytai Liverpool; *St Dunstan's Institutions* ar gyfer y deillion a dderbyniodd nwy rhyfel.

Cynhaliwyd amryw o wasanaethau a phartïon i groesawu ac anrhegu'r dewrion adref a chofiant yn barhaus am y rhai a gollwyd ar dir a môr.

Pennod 6

Hanes yr Organ Newydd

YN YSTOD Y BLYNYDDOEDD cynnar defnyddiwyd harmoniwm gogyfer Caniadaeth y Cysegr ac wedyn bu hwnw'n cael ei ddefnyddio i'r cyfarfodydd yn yr Ysgoldy bach. Ar 16 Ebrill 1914, derbyniodd swyddogion lythyr twrnai yn datgan dymuniad un o'r aelodau, na ewyllysiai gael ei enwi, yn cynnig organ yn rhodd i'r Eglwys. Ffurfiwyd Pwyllgor i dderbyn y rhodd a chyfarfod â Mr Wood o gwmni Wadsworth Bros, 35 Oxford Street, Manceinion, a benodwyd i gynllunio a gosod yr offeryn. Bu'n angenrheidiol trefnu cyflenwad trydan gogyfer yr organ ac ar yr un pryd manteisiwyd ar y cyfle i drydaneiddio'r adeiladau yn gyfan gwbl.

Aeth y gwaith ymlaen yn brydlon a chafwyd llythyr dyddiedig 4ydd Hydref 1914, oddi wrth Alfred W. Wilcock, Batchelor of Music (Durham), Fellow of the Royal College of Organists and Licenciate of the Royal Acadamy of Music (London), "certifying that the organ has been finished by Messrs Wadsworth according to the specification and wind pressures could not be improved upon. I take this opportunity of congratulating the church on the splendid instrument now installed" (y llythyr wedi ei bastio yn y cofnodion). Mae yn amlwg fod Mr Wilcock yn un o'r goreuon yn y maes ac wedi arolygu adeiladu'r organ ac yn amlwg wedi ei blesio yn arw. Ymddengys ar 'wefan y rhyngrwyd' i Alfred William Wilcock fod yn organydd Eglwys Gadeiriol Caerwysg am ugain mlynedd. Chwaraeodd Mr Wilcock *recital* i gyflwyno'r organ i'r gynulleidfa.

Ni ellid cadw cyfrinach am anrheg mor werthfawr yn hir ac mewn cyfarfod ar Hydref 4, 1914, pasiwyd pleidlais o ddiolchgarwch i Mr Owen R. Owen, Preswylfa, Hougomount Avenue, Waterloo, am ei rodd i'r Eglwys. Ond nid dyna ddiwedd ei haelioni oherwydd talodd am gynhaliaeth yr organ a chost y cyflenwad trydan i'r offeryn gydol ei oes, a hyd yn oed

wedi hynny yn ei ewyllys! Mae'n amlwg fod y rhoddwr yn ymfalchïo mewn cerddoriaeth a chafwyd llythyr oddi wrtho yn 1922 yn cwyno nad oedd digon o ddefnydd yn cael ei wneud o'r organ.

Gwelais gywreinrwydd yr organ wrth gynorthwyo gyda'r gwaith o'i ddatgysylltu gyda Mr Christian Geob cyn ei allforio i Cologne. Roedd rhai ugeiniau o bibellau o fodfeddi hyd at droedfeddi o faint; consol hardd o flaen y Sêt Fawr a meginau gwynt pwerus. Roedd y gwaith coed oddi amgylch yr offeryn yn wych ac roedd y prynwr wrth ei fodd ac yn mynegi ei fodlonrwydd. Talodd £1,000 am yr offeryn gan fwriadu ei hail adeiladu mewn sefyllfa deilwng yn y ddinas Almaenaidd. Roedd llwch y blynyddoedd yn yr organ ac o'i gwmpas ond rhoddodd y prynwr ddatganiad gwych arni a'i recordio cyn ei datgymalu.

Wrth dynnu'r pibellau uchaf oddi wrth y mur datgelwyd sgrôl 'SANCTEIDDRWYDD A WEDDAI I'TH DŶ O ARGLWYDD BYTH' – geiriau na welwyd mohonynt ers 1914. Cefais deimladau arswydus a chymysglyd iawn wrth weld a myfyrio dros y geiriau hyn – y gweithgareddau a gynhaliwyd, y canu mawl a glywid, a'r clodfori a fu a'r ffaith fod y Tŷ am beidio â bod yn gapel. Na, nid capel Cristionogol Cymraeg Bethania, Waterloo mohono bellach ond megis cofadail i'r hyn a fu.

Bu adeg pan oedd amryw o organyddion yn cael eu penodi i chwarae'r offeryn a rheolau ysgrifenedig ar bwy oedd â'r hawl i'w defnyddio. Organydd olaf yr eglwys oedd Mrs Nan Lewis, sy'n dal i chwarae organ Eglwys Crist ar ein cyfer pob Sul. Cofiwn y bartneriaeth fu rhyngddi hi a'i gŵr, Bob Lewis, y codwr canu olaf mewn unrhyw gapel Cymraeg Presbyteraidd ar Lannau Mersi.

Ar ddiwedd y Rhyfel Byd Cyntaf ychwanegwyd *Humane Vox* yn yr organ er cof am y bechgyn a laddwyd. Lluniwyd eu henwau mewn copr ar gaead yr organ ac y mae'r cofiant hwnnw wedi ei sicrhau yn ddiogel gan y Parchedig Margaret Quayle.

Pennod 7

Gweinidogaeth y Parchedig Howell Harris Hughes

Wedi ymadawiad y Parchedig William Henry am ofalaeth yn Port Talbot, Gorllewin Morgannwg, etholwyd Pwyllgor Bugeiliol dan gadeiryddiaeth Mr David Parry gyda Edward Roberts yn Ysgrifennydd a phymtheg o aelodau. Cynhaliwyd eu cyfarfod cyntaf ar Gorffennaf 22ain 1919 pan osodwyd allan y dymuniad:

> "Ein bod yn amcanu at gael gweinidog o safle uchel yn y Cyfundeb, yn ddyn cyfrifol ac un a ystyrir ym mysg pregethwyr enwocaf y Methodistiaid fel y byddai ei ddyfodiad yn atyniad i'r Eglwys a'r cylch".

Rhifwyd 19 o weinidogion i'w cysidro ond bu yn rhaid diddymu pedwar enw o'r rhestr ar gyfarwyddyd y Cyfarfod Misol am eu bod yn gwasanaethu yng Nghlch Pregethu Lerpwl. Ni fu pethau'n hawdd a chynhaliwyd 34 o gyfarfodydd cyn i'r Parchedig Howell Harris Hughes dderbyn galwad i'r Eglwys ar 6ed Chwefror, 1921. Roedd y Pwyllgor Bugeiliol lleol fel pe baent yn mynnu gweithio oddi allan i gyfansoddiad yr Henaduriaeth a bu anghyd-dynu diflas mwy nag unwaith.

Ar ddechrau 1920 daeth enw'r Parch. R. R. Davies, pregethwr eneiniedig i'r brig, pan ddeallwyd ei fod yn awyddus i ddod adref i Brydain o'r Unol Daleithiau. Anfonwyd *cable* ato i Wilksbarre, Pennsylvania ar 1af Chwefror 1920: "Please cable whether open to entertain call Waterloo Church". Cawsant ateb cadarnhaol ac wedi iddo ddod adref i Langeitho aeth dirprwy o dri blaenor i'w weld. Yng nghyfarfyddiad y pwyllgor ar nos Lun, 29 Mawrth, hysbysodd Mr Davies iddo dderbyn llythyr dienw oddi wrth

un o aelodau'r Eglwys yn beirniadu ei bregethau ac yr oedd yn pryderu am hyn. Ar 4ydd Ebrill derbyniwyd ail lythyr oddi wrtho yn tynnu ei enw'n ôl oherwydd hyn. Pasiwyd fod J. W. Davies a Watkin Morgan yn talu ymweliad â'r 'awdur tybiedig' gan ei wahodd, os yn euog, i ysgrifennu at y gweinidog i ymddiheuro ond ar 11 Ebrill derbyniwyd llythyr yn mynnu'n bendant fod y Gweinidog yn gwrthod y gwahoddiad.

Ar 28ain Ebrill 1920 bu ail ddechrau'r gwaith gyda phedwar ar ddeg o enwau yn cael eu cynnig cyn eu torri i lawr trwy bleidlais i dri – Parchedigion M. H. Edwards, H. H. Hughes a R. W. Roberts. Ar 6ed Tachwedd cafwyd pleidlais unfrydol i estyn gwahoddiad i'r Parchedig Howell Harris Hughes, Bangor. Datganodd y Cyfarfod Misol ei siomedigaeth a'i anfodlonrwydd unwaith eto gyda'r Pwyllgor Bugeiliol lleol ar y ffordd y gwnaethant yr alwad ac erfyniodd Ysgrifennydd Pwyllgor Bugeiliol y Cyfarfod Misol am gyfarfyddiad gyda phwyllgor lleol Waterloo i drafod y mater. (Awgryma y Parchedig Dr D. Ben Rees fod gwrthwynebiad i'r alwad gan Gyfarfod Misol Lerpwl yn deillio o safiad y gweinidog yn erbyn y Rhyfel Byd Cyntaf. Bu ef ynghlwm â chylchgrawn yr heddychwyr, sef *Y Deyrnas*, nad oedd yn dderbynniol gan y sefydliadau crefyddol cyhoeddus.) Wedi'r cyfarfod hwnnw derbyniwyd bod y gwahoddiad i Howell Harris Hughes yn ddilys am ei fod wedi ei 'gymeradwyo flynyddoedd yn ôl' gan Eglwys arall yn Lerpwl. Derbyniodd Mr Hughes y gwahoddiad i'r ofalaeth mewn llythyr dyddiedig 20fed Rhagfyr 1920.

Fodd bynnag, roedd un o flaenoriaid Eglwys Tabernacl, Bangor, wedi derbyn neges ffôn am benderfyniad y pwyllgor ac yn gwybod am yr alwad cyn i'w weinidog drosglwyddo'r newydd i swyddogion yr Eglwys. Rhoddwyd pwysau arno i wrthod yr alwad ond ni ildiodd. Wedi'r cyfan yr oedd ei wreiddiau yn Lerpwl. Cefnogwyd ef i ystyried y weinidogaeth fel galwad bywyd o fewn cymdeithas Capel y Methodistiaid Calfinaidd, David Street, Lerpwl, a gorffennodd ei flwyddyn brawf yn 1897. Nid oedd yn ddechrau da iddo yn Waterloo rhwng gwrthwynebiad y Cyfarfod Misol a'r amheuaeth nad oedd cyfrinachau yn ddiogel rhwng aelodau y pwyllgor bugeiliol. Pan ddaeth y gweinidog i wybodaeth am wrthwynebiad y Cyfarfod Misol, gofynnodd "ers pryd mae'r Cyfarfod Misol yn meddu'r 'Veto' ar eglwysi a dynion!". Aeth pethau o ddrwg i waeth a daeth llythyr o'r Cyfarfod Misol yn datgan eu syndod o ddarllen yn y *Welsh Edition* o'r *Daily Post* fod

H. Harris Hughes wedi cael galwad i Waterloo ac wedi ei dderbyn er nad oedd 'Llais yr Eglwys' wedi ei gymryd. Datganodd y Cyfarfod Misol eu dealltwriaeth o'r brys gan obeithio i bob peth fynd yn iawn ond bod y trefniant yn anffodus ac anghywir yn ôl y rheolau.

Daeth llythyr hefyd gan H. H. Hughes ar 24ain Rhagfyr gyda torryn o'r *Daily Post* (roedd yr hanes hefyd yn y *Manchester Guardian*) yn cyhoeddi ei fod wedi derbyn yr alwad. Achosodd hyn bryder iddo ac roedd yn ddig wrth y sawl a roddodd yr hysbysiad i'r wasg. Dywed, "Mae rhyw Eglwyswr yn *Reporter. Modern journalism* – gwared ni rhagddo; pe bai angen y fath beth nid yw'n parchu dim"! Roedd yn amlwg wedi achosi gofid iddo ac yn mynnu y dylai David Parry argyhoeddi Swyddogion Waterloo o hyn. Bu ymholiad ynglŷn â'r datguddiad, heb ei ddatrus, gydag amheuaeth a drwg deimlad ym mysg y pwyllgor ac aelodau'r Eglwys.

Sefydlwyd y Parchedig Howell Harris Hughes yn ail weinidog yr Eglwys ar 11eg Mai 1921. Byr fu ei arhosiad ond gweithiodd ef a'i deulu yn ddiwyd i arwain a lledaenu gwaith yr Eglwys. Bu cynnydd yn yr aelodaeth tra fu yn gweinidogaethu o 357 i 382 cyn iddo symud i ofalaeth Siloh, Llandudno ddiwedd Awst 1925. Casglwyd tysteb anrhydeddus ac anrhegwyd ef a'r teulu i gyd ar eu ymadawiad.

Fel holl weinidogion Eglwys Waterloo, ac yn wir Lerpwl, roedd y Parchedig Howell Harris Hughes a'i wraig Mrs Annie Myfanwy Hughes yn gefnogol iawn i'r Genhadaeth Dramor. Yn ddiau spardunodd hyn i'w mab Dr Robert Arthur Hughes fynd yn feddyg cenhadol yn Shillong ac i Nurse Ceridwen Edwards, Alexandra Road, hefyd fynd i'r maes genhadol. Gweler Atodiad II am yrfa disglair Dr R. Arthur Hughes. Yn ddiau yr oedd y Mans yn gartref hollol ymroddedig i Efengyl Iesu Grist ac aeth y brawd arall, y Parchedig John Harris Hughes, yn weinidog gyda'r enwad, a bod yn ŵr grymus ym mheirianwaith y Cyfundeb. Datganodd y swyddogion eu teimlad yn Adroddiad Blynyddol 1925:

> Cawsom fel Eglwys golled ddirfawr yn ymadawiad y Parch. H. Harris Hughes B.A., i gymeryd gofal Eglwys Siloh, Llandudno; parodd hyn siomedigaeth a gofid, gan ei fod wedi mynd yn ddwfn iawn i serch yr Eglwys yn gyffredinol, yn enwedig yr adran bwysicaf, sef y bobol ieuanc. Er mai tua pedair blynedd fu tymor ei arhosiad,

> bu ei wasanaeth yn werthfawr, a'i ddylanwad yn gyfryw nas anghofir mohono. Dymunwn iddo ef a'i deulu lwyddiant mawr ar eu hymdrechion yn eu maes newydd.

Bu yn weinidog poblogaidd a gweithgar ac yn ffefryn gan y plant a'r bobol ieuanc Tybed a oedd y dechrau anodd a'r berthynas anfoddhaol gyda'r Cyfarfod Misol wedi pwyso gryn dipyn ar ei weinidogaeth rasol ar y Glannau?

Pennod 8

Gweinidogaeth y Parchedig D. Stephen Davies, M.A.

GANWYD Y PARCHEDIG David Stephen Davies yng Ngheredigion i deulu crefyddol. Aeth i'r môr ac yn ei deithiau o gwmpas y byd gwelodd sefyllfa druenus pobol Calcutta a phenderfynu mynd yn genhadwr. Wedi priodi â Frances Blodwen (Edwards) yn 1914 aethant yn genhadon i Shangoong, India. Aeth gyda chatrawd y *Labour Corps of Khasis* i gyflawni gwasanaeth milwrol yn Ffrainc yn 1917 ac amharodd hyn yn ddifrifol ar ei iechyd. Pan ddychwelodd i'r India penderfynodd y meddygon na ddylai aros yno a dychwelodd yn ôl i Gymru. Astudiodd am y weinidogaeth gan wneud gradd M.A. yng Ngholeg Mansfield, Rhydychen, cyn dechrau ar ei weinidogaeth yng Nghasnewydd ac yna yn Aberaeron.

Galwyd y Parchedig D. Stephen Davies i Waterloo o Aberaeron yn 1927. Roedd aelodaeth yr Eglwys ar ei chryfaf erioed a bwrlwm yn ei holl weithgareddau. Serch hynny, buan y lleisiodd y gweinidog ei bryderon am ddyfodol crefydd a'r iaith Gymraeg ar y Glannau. Arhosodd yn ei Ofalaeth yn Waterloo ar hyd blynyddoedd anodd dirwasgiad y tridegau a'r Ail Ryfel Byd (1939-1945) hyd at ei farwolaeth yn 1950. Roedd yn genhadwr a sosialydd. Gwelai fai ar grefydd '*soft*' am y lleihad mewn ffydd ac ymddygiad – dim digon o sôn am 'uffern a'r tân mawr' meddai. "Mae mwy o broffeswyr crefydd yn esgeuluso moddion gras, a mwy o aelodau eglwysig yn gwneuthur Dydd yr Arglwydd yn ddydd o bleser gwag".

Gŵr athrylithgar a difrifol ydoedd gyda phregethau dwfn a hir a enillodd edmygedd ei braidd. Yn ei anerchiad cyntaf yn Adroddiad Blynyddol yr Eglwys ysgrifennodd fod sefyllfa wleidyddol a chymdeithasol Prydain yn fregus iawn ac mae'n debygol mai ef oedd yn gyfrifol am i'r Eglwys anfon

rhodd o £65 i gynnal glowyr De a Gogledd Cymru oedd wedi eu 'cloi allan'o'u gwaith gan berchenogion y pyllau. Dywed y gweinidog:

> Bu'r flwyddyn yn brin a chaled ar lawer oblegid y dirwasgiad a'r argyfwng masnachol. Meddyliwn a gweddïwn lawer dros y di-waith yn eu profiad chwerw. Blwyddyn dawel a digynnwrf a gawsom ni. Yr oes yn hawlio sylw megis heddwch y byd, sylfeini moesoldeb, problem y di-waith, dyfodol yr India, a chrefydd gyfundrefnol. Pan mae amseroedd yn gelyd gall yr Efengyl ddangos faint y mae ei gras wedi cyffwrdd â ni. Pe bai'r eglwys yn peidio â bod, yna fe beidiai pob cydnabyddiaeth o Dduw maes o law, fe beidiai gweddi a mawl, cyhoeddi'r Newyddion Da, neb yn darllen y Beibl, neb yn cael ei fedyddio, neb i ofyn am fendith y Goruchaf Dduw ar briodas, neb i sôn am atgyfodiad gwell wrth gladdu'r meirw, neb i ddysgu'r plant am wir ystyr bywyd ac am Dduw. Byddai pawb yn baganiaid hollol yn fuan, a'r genedl yn dirywio ym mhob ystyr. *Ni all yr un genedl golli ei haddoliad a chadw ei ffydd.*

Proffwydol iawn ynte! Er y dirwasgiad cafwyd pleser-deithiau gan aelodau cymdeithasau'r Eglwys i Bentrefoelas, Fyrnwy a Llundain.

Gydag aelodaeth yr Eglwys yn gryf: 375 aelod a 500 o wrandawyr gyda'r Ysgol Sul yn cynnwys 207 o aelodau a 22 athro anodd credu y teimlai'r gweinidog ei bod yn colli tir a bod y Gymraeg yn gwanhau yn yr ardal. Adlewyrchwyd a rheolwyd gwaith yr Eglwys drwy nifer o bwyllgorau a chymdeithasau a restrwyd yn yr Adroddiad Blynyddol gan gynnwys Y Gymdeithas Lenyddol, pwyllgorau cerddorol a dirwestol, Y *Band of Hope*, Urdd y Bobl Ieuainc, Y Genhadaeth Dramor a'r Dosbarth Gwnïo. Roedd casgliadau eraill yn cael eu gwneud tuag at Y Symudiad Ymosodol, y Gronfa Fenthyg, y Feibl Gymdeithas ac Ysbyty Bootle. Gwelir gofal a disgyblaeth yr Eglwys am ei haelodau yn y 'Pwyllgor Ymweliadol a Chynorthwyol' gyda'r 'plwyf' yn cael ei rannu yn ddeg dosbarth yn cwmpasu'r fro a thri ymwelydd ac un archwiliwr ym mhob dosbarth – gwaith mawr mewn amser anodd i'r werin bobl.

Bu bwrlwm o weithgareddau i baratoi ar gyfer dathlu Jiwbilî'r Eglwys yn 1929 a chodwyd swm sylweddol o arian i lanhau ac atgyweirio'r capel. Nodwyd y dathliadau gan y Swyddogion yn yr Adroddiad fel a ganlyn:

"Blwyddyn neilltuol yn hanes yr eglwys a fu'r flwyddyn 1929 ar gyfrif y ffaith mai ar Dachwedd 26 y cyrhaeddodd ei Jiwbilî. Teimlwyd yn gyffredinol mai dymunol fyddai dathlu'r achlysur mewn modd teilwng a phenderfynwyd atgyweirio'r adeiladau, glanhau a phaentio'r capel. Dangoswyd brwdfrydedd neilltuol i gyfarfod â'r draul, a choronwyd eu hymdrech a llwyddiant tu hwnt i'n disgwyliad".

Wrth drefnu'r gyfres o gyfarfodydd ar gyfer dyddiau'r Jiwbilî, ymdrechwyd i gynnwys pob adran o'r Eglwys fel y dengys a ganlyn:

Bore Sul, Tachwedd 24: Gwasanaeth i'r Plant dan arweiniad ein gweinidog.

Nos Lun, Tachwedd 25: Cyfarfod Urdd y Bobl Ieuanc, pryd y cyflwynwyd hanes yr Eglwys gan Mr Edward H. Roberts gan gyfeirio at y blynyddoedd cyn sefydlu'r Eglwys yn 1879, ac at yr ymdrechion a wnaed i roddi cychwyn i'r achos Gymraeg yn y cylch.

Nos Wener, Tachwedd 29: Noson a neilltuwyd gogyfer y plant. Paratowyd te gyda chyfarfod agored yn dilyn. Yn y cyfarfod hwn manteisiodd yr Ysgol Sabothol ar y cyfle i gyflwyno copi o'r Llyfr Emynau Newydd i blant yr eglwys, yr hyn a wnaed gan aelod hynaf yr eglwys, Mr David Roberts, oedd yn ŵr 86 oed.

Dydd Sadwrn, Tachwedd 30: Trefnwyd te a ddaeth â nifer lluosog o'r aelodau ynghyd; a phleser oedd cael cyfarfod â chynifer o hen gyfeillion a chyn-aelodau o'r eglwys a ddaeth ynghyd i gyd-lawenhau. Dilynwyd gyda chyfarfod cyhoeddus yn y capel dan lywyddiaeth y Parch. D. Stephen Davies, M.A.

Dechreuwyd gan y Parch. J. D. Evans, Garston. Rhoddwyd crynodebau o hanes cychwyniad yr eglwys gan yr Ysgrifennydd (John Lloyd). Ysbrydiaeth oedd clywed am sêl a ffyddlondeb y tadau fu'n cychwyn yr achos ac yn cario beichiau trymion am flynyddoedd, a phriodol oedd cydnabod, "Eraill a lafuriasant a chwi a aethoch i mewn i'w llafur hwynt. Y mae i ni

etifeddiaeth deg. Galwodd y gorffennol yn hyglyw arnom i ddyblu diwydrwydd, gwnawn ein gorau heddiw, a bydd yfory yn ddiogel".

Cafwyd anerchiadau gan y Llywydd, y Parch. William Henry, Port Talbot, gweinidog cyntaf yr eglwys, 1897-1919, a'r Parch. H. Harris Hughes, B.A., Llandudno, bugail yr eglwys o 1921-1925. Bu'r anerchiadau yn foddion atgyfodi llu o atgofion melys, a gwnaed i bawb sylweddoli mai "Hyd yma y cynorthwyodd yr Arglwydd nyni". Cymerwyd rhan hefyd gan y Parchedigion David Jones, Edge Lane; William Davies M.A., Bootle, a C. Lloyd Williams B.A., Anfield.

Dydd Sul, Rhagfyr 1: pregethwyd fel a ganlyn:

Bore: Y Parch. W. Henry ar 1 Pedr, 5 ben, 4 adnod.

Pnawn: Y Parch. H. H. Hughes, ar 2 Bren, 2 ben, 19-22 adnod (Saesneg).

Nos: Y Parch. D. S. Davies, ar Gan. Sol., 6 ben 10 adnod.
Y Parch. H. H. Hughes, ar Gen., 28 ben 20-21 adnod.

Ysgrifennwyd:

> Ar gyfrif y naws hyfryd a deimlwyd a'r sicrwydd diamheuol o bresenoldeb Pen Mawr yr Eglwys ymhlith y gwrandawyr cafwyd cynulleidfaoedd lluosog a phregethau grymus – roedd Ysbryd y Jiwbilî wedi meddiannu pawb fu'n bresennol. Heb os roedd lle mawr i fod yn ddiolchgar i'r tri chennad. Wrth edrych yn ôl a meddwl am y llu mawr a fagwyd yn yr eglwys hon, ac a fu'n aelodau ynddi am gyfnod yr hanner can mlynedd, rhaid gofyn y cwestiwn, pwy all gyfrif gwerth neu fesur dylanwad Eglwys? Am hynny fy mrodyr annwyl, byddwch sicr a diymod a helaethion yng ngwaith yr Arglwydd yn wastadol, a chwi yn gwybod nad yw eich llafur chwi yn ofer yn yr Arglwydd.

Dathlwyd Jiwbilî Cangen Chwiorydd y Genhadaeth Dramor gyda Phasiant yn St George's Hall yn 1930 a chyngerdd a gwledd Gŵyl Ddewi yn Town Hall, Waterloo.

Sefydlwyd cangen o Urdd Gobaith Cymru yn Waterloo o dan ofalaeth Mr John Lewis a'i ferch Miss Gwyneth Lewis (Mrs Alun Roberts). Hwy oedd hefyd yn arolygu gweithgareddau'r Eglwys a chadw rhestr o ddyddiau'r holl drefniadau rhag iddynt fynd ar draws ac amharu ar ei gilydd. Roedd bwrlwm o weithgareddau a'r aelodaeth mor niferus fel bod si ar led nad oedd sedd i'w gael ar lawr y capel nac yn y galeri! Gydag amcangyfrif o 500 o wrandawyr i'w hychwanegu at yr aelodaeth o dros bedwar cant hawdd coelio fod hyn yn wir! Tebygol ydyw fod y 'gwrandawyr' hyn yn cynnwys rhai oedd a'u 'Tocyn Aelodaeth' adref yng Nghymru, rhai yn gweithio'n achlysurol yn y fro ac eraill na allent fforddio talu am seddi ac aelodaeth.

Daeth anrhydedd arbennig i hanes Eglwys Waterloo pan gynhaliwyd y Gymanfa Gyffredinol yno am yr unig dro ym Mai 1938. Gwnaed penderfyniad yn y flwyddyn 1884 i gynnal y Gymanfa yn Lerpwl pob trydedd flwyddyn pan basiwyd "Fod y Gymanfa Gyffredinol i gael ei chynnal o hyn allan yn ei thro yn y Gogledd, yn y Deheubarth, ac yn Liverpool". Bu'r Gymanfa yn llwyddiant mawr er y gwaith o drefnu'r gweithgareddau a gofalu am 238 o gynreichiolwyr am bedwar diwrnod. Yn ystod y Gymanfa hon cyflwynwyd 'Cenhadwr Newydd', sef Dr R. Arthur Hughes, FRCS, a oedd wedi treulio rhan o'i fachgendod yn yr Eglwys pan oedd ei dad, H. Harries Hughes, yn weinidog yno.

Wedi blynyddoedd blin y dirwasgiad daeth dyddiau dychrynllyd yr Ail Ryfel Byd a'i ddinistr a'i ofnau i'r Glannau. Cafwyd arweiniad ysbrydol ac ymarferol di-ildio drwy gydol yr ymrafael gan y Parchedig D. Stephen Davies a'i deulu a gwelir yr hanes yn y bennod ddilynnol.

Wedi'r rhyfel ni fu'r un llewyrch ar fynychu oedfaon y capel. Bu'r Ail Ryfel Byd yn dranc i Gristionogaeth. Dioddefodd Eglwys Waterloo a'r gymuned Gymraeg ar y Glannau a chollodd pob sefydliad, yn gyffredinol eu gafael ar ddynoliaeth. Newidiwyd ymateb y boblogaeth – boed Gymraeg neu Saesneg, crefyddol neu seciwlar – i foesoldeb a phob disgyblaeth gymdeithasol arall oherwydd erchyllterau'r rhyfel a datblygiadau yn y byd gwyddonol. Disgynnodd aelodaeth yr Eglwys i 400, 60 o blant a 25 o wrandawyr. Gwnaed ymdrech lew gan y Cyfundeb i hybu'r Eglwysi a lansio'r 'Casgliad Mawr' a chodi swm enfawr o £100,000 i hyrwyddo gwaith y Deyrnas wedi'r rhyfel. Awgrymwyd casglu rhodd o leiaf £1 gan bob aelod.

Blwyddyn wedi'r Rhyfel clywir atsain o ddigalondid am gyflwr yr Eglwys yn anerchiadau'r Gweinidog. Yn 1946 cwynodd am absenoldeb y plant o'r oedfaon – rhieni yn peidio dod â hwy i'r seiat fel yn y blynyddoedd cynt, i ddysgu'r arferiad. Pob math o esgusodion – y ffordd yn bell; amhosibl eistedd yn llonydd am awr; galwadau ysgol yn drwm. "Er mwyn peidio paratoi'r ffordd i syrthio'n ôl i Babyddiaeth; gwaeth, er mwyn peidio â magu paganiaid, ie er mwyn ein pobl ein hunain, er mwyn dyfodol ein gwlad, er mwyn yr Eglwys, sef Corff Crist ar y ddaear, dyger y plant, nid yn unig i'r Ysgol Sul, ond i'r oedfaon fel y dysger hwy i addoli a chydnabod y gwir Dduw." Yn 1947 datganodd ei bryder am y *moral collapse* a'r *religious collapse* gan gyferbynnu Cristionogaeth fel dehongliad ysbrydol o fywyd; a chomiwnyddiaeth oedd ar grwydr brwd fel y dehongliad materol ar fywyd. Aeth ymhellach yn 1948 gan ofyn "Pam Adroddiad o gwbl?" a "Pam Eglwys?" Ail agorwyd y capel wedi ei adgyweirio a'i addurno o niwed y Rhyfel ym mis Rhagfyr 1948 gyda nifer o gyfarfodydd. Anrhegwyd y gweinidog a'r teulu oedd wedi aros wrth y gwaith a chyflawni llawer dros un ar hugain o flynyddoedd anodd.

Bu farw'r Parch. D. Stephen Davies yn ei swydd o ofalu am Eglwys Waterloo yn 1950. Rhoddwyd teyrnged hardd iddo gan y Swyddogion yn Adroddiad 1951 (llun ohono hefyd) ac englyn gan H. Cernyw Williams:

Gwae a loes i'r eglwysi: du oernaws,
Fu diwrnod ei golli;
Ond, i'n brawd, dydd yn dwyn bri,
Ar unwaith – dydd coroni.

Y syndod ydyw fod y Parchedig D. Stephen Davies wedi gallu cyflawni cymaint ar y maes Cenhadol yn yr India ac yn Eglwys Waterloo am flynyddoedd maith ac anodd y tridegau ac amser yr Ail Ryfel Byd a hynny er gwaethaf ei iechyd bregus. Dywedodd mewn anerchiad i'r Adroddiad Blynyddol: "Nid ymffrostiwn am ddim a wnaed gennym, ond ymostwng gan gofio mai derbyn a wnaethom. Y sawl a wnaeth fwyaf a fendithiwyd fwyaf."

Ar ei farwolaeth roedd yr aelodaeth wedi disgyn i 340 gyda 35 o blant ac Ysgol Sul o 74 – gostyngiad o ddeg y cant. Ychydig iawn o 'wrandawyr' oedd erbyn hyn.

Yn ystod gweinidogaeth y Parchedig Stephen Davies yn Waterloo denodd ato lawer oedd yn ymwneud â'r Genhadaeth Dramor ac un o'r rhain oedd y Parchedig Oliver Thomas. Ysgrifennwyd amdano gan y Parchedig Dr D. Ben Rees yn ei lyfr *Llestri Gras a Gobaith*:

> 'Cafodd (Oliver Thomas) lawer o dreialon. Bu ei wraig yn orweddiog am flynyddoedd a dioddefodd yntau gan afiechyd. Ond ni laesodd ddwylo. Daliodd ati gydag egni rhyfeddol a dycnwch nes iddo orfod rhoi'r gorau iddi yn 1948. Enillodd serch pobl capeli Cymraeg Lerpwl fel pregethwr cymeradwy a bu'n gaffaeliad i gapel Cymraeg Waterloo yn Crosby Road South. Llywyddai gyfarfodydd a bu perthynas dda rhyngddo a'r gweinidog, y cenhadwr D. S. Davies. Edmygid yn fawr iawn ei wroldeb a'i ysbryd siriol drwy'r holl galedi a ddioddefodd'.

Bu farw yn 63 mlwydd oed yn 1950 – yr un flwyddyn a gweinidog yr Eglwys y Parch. Stephen Davies.

Daeth Oliver Thomas a'i wraig Annie (née Dennison) i Lerpwl yn 1928 ac ymgymerodd a swydd fel Ysgrifennydd Cyffredinol y Genhadaeth Dramor yn Swyddfa Lerpwl. Nodwyd yn Adroddiad Blynyddol Waterloo am 1929 ei enw fel Gweinidog cymorthwyol yn yr Eglwys ac yn yr Adroddiad canlynol fod ef a'i wraig a'u plant Nancy a Joan yn aelodau ac yn byw yn Maes yr Haf, Waterloo Park. Bu enw Mrs Annie Thomas yn yr Adroddiad hyd at 1951 a bu farw yn 1960 wedi blynyddoedd o gael ei chaethiwo gan afiechyd.

Pennod 9

Yr Ail Ryfel Byd, 1939-1945

WEDI BLYNYDDOEDD BLIN y dirwasgiad daeth dyddiau dychrynllyd yr Ail Ryfel Byd a'i ddinistr a'i ofnau i'r Glannau. Ymaelododd unarddeg o ddynion yr eglwys yn y fyddin neu'r llynges, a'r un nifer y flwyddyn ganlynol. Fel drwy Brydain i gyd ni ddechreuodd yr ymgyrchu o'r awyr gan yr Almaenwyr hyd y flwyddyn ganlynol ac nid oedd y rhyfel ar y pryd i'w weld yn amharu ar waith a gweithgareddau'r eglwys er 'ifaciwêtio' y plant o ganol y ddinas ac o ardaloedd y dociau. Yn 1940 gyda'r ymgyrchu awyrol yn gwaethygu ymadawodd nifer fawr o Gymry Lerpwl adref at eu teuluoedd. Er yr holl drybini ac ymfudo sefydlwyd 'Corlan y Plant' yn yr Eglwys yn 1942 o dan ofal Miss Peggy Quayle oherwydd roedd teuluoedd Crosby yn teimlo'n weddol saff i aros a chadw'r plant gartref. Gwnaed difrod aruthrol yn ardaloedd dociau Bootle, Seaforth a Waterloo gan y *Blitz* 1940/41 a chollodd nifer o aelodau eu cartrefi ond yn ffortunus ni laddwyd yr un o'r aelodau. Chwalwyd capel Stanley Road ar 4 Mai 1941 a hefyd gwnaed niwed sylweddol i gapel Waterloo a'r Mans gerllaw yn 1 Kinross Road yn 1942. Er y difrod, trwy ddiwydrwydd ceidwad y capel; Mrs Joseph Jones, a gollodd ei gŵr flwyddyn yn gynt, ac eraill, daliwyd i gynnal oedfaon yn yr Ysgoldy. Ym Mwrdeistref Bootle niweidiwyd 16,043 o dai allan o gyfanrif o 17,119 a chanran tebyg iawn yn ardaloedd Seaforth a Waterloo.

Blitz, Awst 1940-1941

Dymar ran o lythyr disgrifiadol iawn gan Mrs Maggie Roberts (mam Eirian a Peggy a nain Mrs Elin Bryn Boyd) i'w chwaer-yng-nghyfraith, y nofewraig Dr Kate Roberts:

> Tachwedd 23, 1940. Cafwyd noson byth gofiadwy. Treuliwyd y dydd yn chwilio adfeilion tŷ mewn stryd cyfagos am gyrff. Tybiem yn siŵr fod ein diwedd yn dod. Mae'r tai yn blaster a huddygl a baw. Mae lampau'r strydoedd wedi cael eu troi fel cortyn. Mae pawb yn teimlo wedi eu cynhyrfu a dim awydd bwyd ar neb. Dinistriwyd llawer o dai, y mae capel yr Annibynwyr Cymraeg wedi ei ddifa'n llwyr a malwyd pob ffenestr yng nghapel Stanley Road. Diolch i chwi am eich gwahoddiad i ddod i aros atoch yn Ninbych, hoffwn ddod yn fawr, ond ni allaf feddwl am adael John a'r plant ar ôl yma.

Roedd yr Ail Ryfel Byd yn wahanol iawn i'r cyntaf, daeth y gelyn at y drws gyda'i fomiau a newidiodd amgylchiadau yr eglwysi er gwaeth mewn unnos. Bu gorfodaeth ar y dynion ifanc i ymaelodi yn y lluoedd arfog neu'r llynges, ac oherwydd y bygythiad o'r awyr i Lannau Mersi ciliodd y plant i'r wlad. Ar doriad y rhyfel yn Medi 1939 aeth nifer helaeth o deuluoedd Cymraeg a'u plant i aros gyda'u perthnasau yng Nghymru gan amddifadu'r gymuned a'r Ysgol Sul. Er y golled i'r eglwys gwelwyd hyn gan y Gweinidog yn gyfle i'r plant "ddod yn ôl yn berffaith o ran iaith". Trefnodd yr Awdurdodau i bob ysgol fynd o Lannau Mersi i ddiogelwch Cymru neu i ardaloedd gwledig eraill yng ngofal eu hathrawon. Aeth y diweddar Miss Eirian Roberts a'i dosbarth o ysgol gynradd Christ Church, Bootle, i Beulah yng Nghanolbarth Cymru. Ni chynhaliwyd gwasanaethau na gweithgareddau eraill yn yr hwyr oherwydd y *black out.* Siarsiodd y gweinidog i'r aelodaeth "beidio esgeuluso y moddion oherwydd y rhyfel" ond roedd yn gyfnod anodd iawn i'r holl eglwysi a chyhoeddwyd *Cynllyn Helpu'n Gilydd* gan Gyfarfod Misol Lerpwl i gynorthwyo'r eglwysi oedd wedi eu gwanhau a chan fod hanner yr eglwysi'n ddi-fugail.

Roedd yr ardal o dan warchae, a sefydlodd y Gweinidog, swyddogion a gwragedd yr Eglwys 'Pwyllgor y Milwyr' i ofalu am aelodau'r Eglwys oddi cartref ac hefyd y Cymry yng ngwersylloedd y lluoedd arfog yn yr ardal a'r morwyr ym mhorthladd Lerpwl. Yn 1940 gwnaed cysylltiad rheolaidd gyda'r *Liverpool Welsh Battalion* oedd yn gwersylla yn Blundellsands. Trefnwyd *Correspondence Guild* i yrru llythyrau i'r bechgyn oddi cartref ac anfonwyd *Llyfr o Ddefosiwn* i bob aelod yn y fyddin. Bu'r Gweinidog yn

ddolen gyswllt gyda'r teuluoedd ac yn ddiwyd yn anfon llythyrau ac anerchiadau at y rhai a 'wasgarwyd' yng Nghymru a'r rhai oedd yn y lluoedd arfog. Croesawyd nifer o filwyr Cymraeg o wersylloedd cyfagos i'r capel a derbyniwyd amryw o lythyron o ddiolchgarwch ganddynt wedi iddynt ymadael am faes y gad. Roedd y gwragedd yn ddiwyd yn eu gofal yn gwau ac yn anfon anrhegion i'r bechgyn gan gynnwys 'Sypynnau Nadolig'.

Derbyniwyd yn yr Eglwys roddion oddi wrth aelodau unigol a'r cyhoedd yn gyffredinol fel '*blankets, socks, helmets, belts, cuffs, mufflers, gloves, shirts, bed jackets, chest protectors*' i'w rhoddi i'r milwyr. Anfonwyd i'r camp yn Brooke Road, Crosby, '*42 waistcoats, 71 prs socks, mittens, mufflers, handkerchiefs, 100 stamped post cards & pencils, overcoats, gwerth 3/- o cough lozenges, shirts, woollen vests, pants, gwerth 5/- worth of eucalyptus, 40 quarts cough mixture, helmets, blankets & gloves*'.

Ymunodd 60 o aelodau'r Eglwys yn y lluoedd ac fe'u rhestrwyd ar y *Roll of Honour* a gedwid yng nghyntedd Capel Waterloo hyd at ei gau. Daeth y Rhyfel i ben ym Mai 1945. Ffffurfiwyd 'Pwyllgor Croeso Aelodau yn y Lluoedd' i drefnu'r gwaith o dderbyn yr aelodau adref a thalu teyrnged a choffáu y rhai a laddwyd. Casglwyd arian ar gyfer y dathliadau ac i anrhegu pob un a fu yn y lluoedd â chloc trydan gyda phlat arno wedi ei arysgrifennu '*Eglwys M.C. Waterloo. Arwydd gwerthfawrogiad gwasanaeth yn y Rhyfel 1939-45*' ac enw'r derbynnydd'. Cynhaliwyd nifer o gyfarfodydd a phartïon i ddathlu diwedd y rhyfel. Dynoda rhaglen y Gwasanaeth Goffa a gynhaliwyd ar ddydd Sul, 11eg Tachwedd 1945, i groesawu adref y milwyr a'r plant yn ôl fod tri aelod wedi syrthio yn y gyflafan Alun Rees Lloyd, William Eric Richards a Hugh Glyn Williams ac i dri eraill 'a fagwyd yn yr Eglwys' – Gwyn Jones, Emlyn Lloyd ac Eric Lloyd Roberts hefyd gael eu colli. Nodwyd hefyd bod Captain Caradoc Jones wedi colli ei fywyd ar y môr ond nid ydyw'n glir ai oherwydd ymgyrch y gelyn. Rhoddwyd plac coffadwriaethol i'r milwyr a gollodd eu bywydau ar gaead organ y capel.

Bu'r Ail Rhyfel Byd yn ergyd drom i fywyd y capeli a gwelir hyn yn ystadegau'r eglwys ac yn anerchiadau y Gweinidog.

Pennod 10

Gweinidogaeth y Parchedig R. Maurice Williams

WEDI MARWOLAETH ANNISGWYL y Parchedig D. Stephen Davies ffurfiwyd Pwyllgor Bugeiliol yn cynnwys swyddogion yr Eglwys a 10 aelod arall i alw gweinidog.

Cofnodwyd gan Bwyllgor Bugeiliol 1951 i'r gwaith gael ei ddwyn i ben yn llwyddiannus drwy estyn gwahoddiad i'r Parchedig R. Maurice Williams o Eglwys Bethesda, Bae Cemaes, Môn, i fod yn weinidog yr Eglwys. Prynwyd Mans newydd iddo ef a'r teulu, oedd yn cynnwys ei fam, yn 22 Myers Road West. Daeth i ofalaeth gref gyda 10 o flaenoriaid, 323 aelod, 40 o blant ac Ysgol Sul o 68 gyda 15 athro. Roedd newidiadau cyson yn dal yn aelodaeth yr Eglwys wrth i bobol symud eu cartrefi o Gymru i swyddi yn y Ddinas – er nad i weini fel yn y blynyddoedd cynt – a hefyd symud i dai ac ardaloedd newydd i wella eu safonau byw. Dangosodd y Parch. Maurice Williams ei fod yn weinidog brwdfrydig iawn yn holl weithgareddau crefyddol, diwylliannol a chymdeithasol yr Eglwys. Ymaflodd yn ei waith gan drefnu dramâu, Cinio Gŵyl Ddewi, Noson Lawen a Pharti Nadolig yn ei flwyddyn gyntaf. Roedd yn ymwelydd cyson â chartrefi ei braidd a cheisiai gwmpasu pawb yn hen ac ifainc a chynnal ambell i wasanaeth Saesneg ar gyfer perthnasau di-Gymraeg yr aelodau. Gofalai sefyll dros hawliau'r difreintiedig. Roedd yn heddychwr brwdfrydig ac ef oedd perchennog y 'Morris 8' a gludodd Saunders Lewis adref o'r carchar yn Llundain wedi achos 'Penyberth' Pwllheli. Defnyddiai'r car i gludo plant a'r bobol ifanc o gwmpas y gymuned er peth pryder ynglŷn â'i allu i yrru yn ddiogel!

Ym mis Hydref 1953 sefydlodd y gweinidog *Y Ddolen*, sef y cylchlythyr misol i fod yn ffynhonnell i fywyd a gwaith yr Eglwys. Fe'i hargraffwyd yn

broffesiynol gan Wasg Hugh Evans, Bootle; yn golled ariannol i'r Cwmni yn ôl Mr Alun Evans – sy'n dal i fod yn aelod yn Waterloo. Ysgrifennodd y Golygydd:

> 'Unig amcan y cyhoeddiad bychan hwn ydyw iddo fod yn gyfrwng yn llaw Duw i rymuso ac unoli Eglwys yr Arglwydd Iesu Grist yn ein plith. Credwn y bydd o werth mawr i'n cadw mewn cyffyrddiad agos â'n gilydd, ac â gwaith yr Eglwys yn gyffredinol. Bydd yn hwylustod mawr i bob aelod; bydd yn amheuthun i'r rhai sy'n analluog i ddilyn y gwersyll yn rheolaidd; a bydd yn amhrisiadwy i nifer mawr o'n cyd-aelodau sydd oddi cartref.'

Noda'r rhifyn cyntaf fanylion am y gwasanaethau Sabothol; gyda thri o Gyfarfodydd Diolchgarwch; dosbarth wythnosol i baratoi'r cymunwyr ifainc; cyfarfod gweddi pob nos Iau; Noson Lawen a darlithoedd yn cael eu trefnu gan y Gymdeithas Lenyddol; Cymdeithas y Bobol Ifainc a *Sale of Work* gan wragedd yr Eglwys. Dengys fod yr Eglwys yn cyd-weithio ag eglwysi Stanley Road, Bootle a Pheniel, Southport yn y bywyd diwylliannol a chymdeithasol. Llwyfannwyd dramâu gan gymdeithas lenyddol yr Eglwys ynghyd â chwmnïau drama eglwysi eraill yn Waterloo. Dechreuwyd misolyn *Y Glannau* ar Ionawr 1955 i gofnodi gweithgareddau 23 o Eglwysi Cymraeg y Glannau a chafodd hwnnw gefnogaeth frwd y Gweinidog. Hysbyswyd ynddo 'Cymanfa Ganu Genhadol y Bobol Ifainc' oedd i'w chynnal yn Eglwys Waterloo. Yn 1959 cyhoeddwyd cylchgrawn *Y Bont* dan olygyddiaeth R. Maurice Williams a phlediodd y gweinidog am gefnogaeth iddo.

Fel *Y Ddolen* bresennol, cynhwysir manylion am y gwasanaethau – Y Gymanfa Bregethu Flynyddol (sydd wedi peidio erbyn hyn); wythnos yr Ŵyl Diolchgarwch am y Cynhaeaf a'r gwasanaethau arferol ar y Sul, ynghyd â digwyddiadau'r wythnos. Talwyd teyrngedau i'r ymadawedig; nodi'r y cleifion a'r llesg; llwyddiant y bobol ifanc gan gynnwys campwaith Miss Peggy Quayle yn ennill gradd gydag anrhydedd ym Mhrifysgol Llundain ac yn cael swydd gyda *Nottingham Education Committee*. Croesawyd aelodau newydd, dathlwyd priodasau a genedigaethau a nodi gwaith a chyfarfodydd yr amryw bwyllgorau a'r cymdeithasau. Dywed y Gweinidog

yn ail rifyn y misolyn: "Mae'r croeso a gafodd y rhifyn cyntaf o'r *Ddolen* yn profi ei gwerth ymarferol . . ."

Pan ymddeolodd y Parchedig Mauice Williams gorffennodd *Y Bont* ac yn y flwyddyn ganlynol lansiwyd yr *Yr Angor* fel papur bro'r Glannau yn 1979 dan olygyddiaeth y Parchedig Dr D. Ben Rees gyda chylchrediad da a chefnogaeth mewn gwerthiant a noddwyr yn yr ardal ac oddi allan iddi. Mae'n cynnwys hanes pob eglwys a chymdeithas yn y fro gydag erthyglau am bethau a phobl leol a chenedlaethol. Disgrifid y papur gan y diweddar Farnwr J. E. Jones yn *Antur a Menter Cymry Lerpwl* fel: ". . . dolen gyswllt i Gymry'r Glannau ac i rai a symudodd yn ôl i Gymru; yn bapur safonol ac yn llenwi bwlch mawr, yn enwedig gan fod y Cymry mor wasgaredig". Cynhwysid hanesion eglwysi a chymdeithasau Manceinion ynddo oddiar y flwyddyn 1993. Cafodd a chaiff gefnogaeth dda gan Eglwys Bethania, Waterloo a bu'r diweddar Mr Alun Edwards yn drysorydd i'r papur bro am rai blynyddoedd.

Roedd R. Maurice Williams yn fardd yn y mesurau caeth, yn hyddysg mewn diwylliant ac yn medru dwyn i gof bentyrrau o farddoniaeth ar gyfer pob achlysur. Ceisiai ddysgu'r plant i ddilyn ei esiampl i adrodd a chyd-adrodd llenyddiaeth. Roedd yn delynor a chyfeiliai i'r canu penillion yn 'Eisteddfod y Tai' Waterloo ac yn y gwahanol eisteddfodau a chystad-laethau lleol. Roedd Eisteddfod Plant Bootle yn ddigwyddiad pwysig iawn ym mywyd yr Eglwys a nodid ennill amryw o wobrwyon gan bobl ifainc a phlant Waterloo. Yn 1956 enillodd Eirlys Jones y Gwpan Arian am y marciau uchaf, gyda Marian Owen (Hughes) a Phyllis Owen (Weaver) yn ail a thrydydd. Gwenda Roberts (Dunn) yn cael medal am y marciau uchaf dan 10 oed. Cefais hyd i nifer o darianau a chwpanau'r Eisteddfod wrth ymfudo o gapel Waterloo. Yn cyd-fynd â gwaith yr Eisteddfod roedd Arholiadau Cymanfa'r Ysgol Sul oedd yn cynnwys: Yr Iaith Gymraeg, Dysgu Allan, Arholiad Ysgrythurol, Arholiad Cerddorol ymarferol 'Sol-ffa' gyda Phyllis Owen eto'n gyntaf. Yn 1960 enillodd cwmni drama'r bobol ifanc yr ail wobr yn y Crane Theatre o dan olygyddiaeth Miss Heulwen Lewis. Ym mysg yr actorion roedd Miss Peggy Quayle. Yn 1960 ar lwyfan St George's Hall – fel rhan o Aelwyd y Gogledd enillodd ieuenctid Waterloo 'Gwpan yr Aelwyd'. Roedd rhaglen radio 'Sêr y Siroedd' yn boblogaidd iawn yn y cyfnod hwn a chymerwyd rhan mewn darllediad

gan nifer o aelodau Waterloo. Roedd maer Crosby, Mrs Rosewarne yn Gymraes o Ryd Ddu a rhoddodd anerchiad i Gymdeithas y Chwiorydd.

Yn y chwedegau ceisiodd y Gweinidog a Swyddogion yr Eglwys frwydro yn erbyn y trai drwy erfyn am gefnogaeth ariannol a chael aelodau newydd. Ysgrifennodd y Gweinidog y dylai'r aelodau ". . . fy hysbysu ar unwaith am Gymry sy'n dod i aros i'r cylch. Mae hyn yn fater o bwys mawr. Dywedir y byddai Cymry ers talwm yn chwilio am gapel ar unwaith mewn ardal newydd, ond erbyn hyn rhaid i'r capel fynd i chwilio amdanynt hwy". Yn deillio o'r ymgyrch adfywiodd yr Ysgol Sul i rifo 68 o aelodau.

Yn 1964 dangoswyd llun y capel ar glawr yr Adroddiad Blynyddol gyda nodyn oddi fewn: "Dyma ddarlun o'r Capel yn ôl ar glawr yr Adroddiad trwy garedigrwydd Mr Gordon Short MPS, a diolchwn iddo o galon. Collwyd y bloc blaenorol yng nghwrs cyrchoedd awyr y rhyfel".

Cynhaliwyd Sasiwn y Gogledd yn Waterloo am yr unig dro yn 1965 a mawr oedd y gwaith a'r llwyddiant. Cafwyd anerchiadau gan ddau weinidog ifanc, y Parchedigion Meirion Lloyd Davies ac Arthur Meirion Roberts y ddau wedi ymddeol i fyw ym Mhwllheli erbyn hyn.

Derbyniwyd rhodd hardd a gwerthfawr o lestri'r Cymun a Beibl gan Dr J. Eric Swinburn Jones, Southport a Mr O. C. Somerville Jones, Huddersfield, er cof am eu rhieni, Mr a Mrs Jonathan Jones. Gwasanaethodd Jonathan Eglwys Waterloo mewn amryw swydd am flynyddoedd maith. Mae'r rhodd yn dal i gael ei ddefnyddio yng Ngwasanaeth y Cymun yn Bethania yn fisol.

Yn 1978 daeth eglwysi Waterloo, Stanley Road Bootle, Southport ac Anfield Road o dan ofalaeth y Parchedig R. Maurice Williams (er i Anfield Road ddatgorffori yn hwyrach yn y flwyddyn ac ymhen ychydig fisoedd gael ei losgi i'r llawr).

Dathlwyd canmlwyddiant Waterloo yn 1979 ac ysgrifennodd y Gweinidog grynodeb o hanes yr Achos mewn llyfryn gyda chwech o dudalennau. O ran ei weinidogaeth ei hun dywedodd:

> "Gwelais innau newid mawr ym mywyd yr eglwys hon a holl eglwysi'r Glannau, ac, yn wir, yn ansawdd y gymdeithas Gymraeg yn gyffredinol o 1952 ymlaen.
>
> Byddaf yn rhyfeddu weithiau fel y mae'r eglwys wedi dal ei thir ar waethaf cymaint o anawsterau, ac yn arbennig wrth sylwi ar eglwysi

Saesneg niferus eu haelodau, hyd yn gymharol ddiweddar, sydd erbyn hyn yn ymladd am eu bywyd. Rhaid talu teyrnged ddiffuant i deyrngarwch y corff mawr o aelodau i'r Addoliad Cyhoeddus ar y Sul ac i'r cyfarfodydd a gynhelir yn rheolaidd ar noson waith, y Gymdeithas Lenyddol a Chymdeithas y Chwiorydd, ac yn wir, i'r ymateb i bob apêl gan Swyddogion yr eglwys. Y mae yma haelioni cariad.

Mae'n amlwg fod yr eglwys wedi ei bendithio â blaenoriaid grasol ac ymroddedig o'r cychwyn. Dyna guddiad ei chryfder. Anaml iawn y gall eglwys godi uwchlaw lefel ei swyddogion. Parchwn eu coffadwriaeth o'r cychwyn, a gwerthfawrogwn eu llafur hyd y dydd hwn, a diolchwn i Dduw amdanynt. Y mae'n ofid imi nad oes gofod i gyfeirio'n benodol at gymaint o ragorion yr eglwys yn aelodau a blaenoriaid yr ydym yn ddyledus iddynt. "Y sawl a wnaeth fwyaf a fendithiwyd fwyaf" chwedl D. Stephen Davies. Profwn gyfeillgarwch yr Efengyl sy'n dolennu'r plant a'r ifainc hyd at yr oedolion aeddfetaf yn ein hysbrydoli a'n cywilyddio'r un pryd.

Yn gyffredin i holl eglwysi Cymraeg Glannau Mersi y mae i'r eglwys hon ei phroblemau, a'r gamp yn fynych ydyw cyfarfod yr her heb ddigalonni.

> Yr Arglwydd sydd yr un
> Er maint derfysga'r byd;
> Er anwadalwch dyn
> Yr un yw Ef o hyd . . .

Pobol ydym, ar ein gorau, sydd yn enw Iesu Grist yn credu fod yn Ei Efengyl adnoddau dihysbydd sydd yn sylfaen holl obeithion euog fyd, ac mai diben Ei Eglwys ydyw parhau Ei weinidogaeth ar y ddaear. Mawr yw ein braint.

Dylem, o leiaf, gofnodi i'r eglwys gyhoeddi *Y Ddolen* ein cylchlythyr misol yn ddifwlch ers 1953. Bu'r blaenoriaid yn ei ddanfon i'r cartrefi yn rheolaidd, ac rydym yn unfryd-unfarn ei fod yn ddiddorol ac yn ein cadw mewn cyffyrddiad agos â'n gilydd, yn diogelu trefn ar waith yr eglwys ac yn cofnodi amrywiaeth ei bywyd.

Edrychwn ymlaen i'r dyfodol mewn ffydd, gobaith a chariad."

Ymddeolodd y Parchedig R. Maurice Williams ym mis Medi 1979 a symud i Lanrwst wedi 29 mlynedd o fugeilio'r Eglwys. Ni fu'r Eglwys yn ofalaeth ynddi ei hun oddiar ddyddiau D. Stephen Davies wedi hyn. Bu farw RM fel y'i gelwid yn 1986.

Daeth yr Eglwys yn rhan o 'Ofalaeth y Glannau' a hynny yng ngofal y Parchedig R. E. Hughes, Nefyn erbyn hyn, ar ddiwedd y flwyddyn 1985. Gofalaeth yn cynnwys Waterloo, Stanley Road a holl eglwysi Penbedw a Chilgwri ac a drefnwyd gan y Parchedig Dr D. Ben Rees i gynnal yr achosion ac i adfer iechyd y bugail.

Rhoes R. E. Hughes wasanaeth clodwiw hyd ddiwedd 1989 ac yr oedd yn bregethwr a gweddiwr arbennig iawn. Symudodd i ofalaeth Tremadog a Chricieth ac aeth yn agos i ddeugain o'r Glannau i'w Wasanaeth Sefydlu. Deil ei gysylltiad gydag eglwysi y Glannau o hyd a balch ydym o'i groeswau ef a'i briod Jean Hughes yn ôl atom yn achlysurol.

Pennod 11

Eglwys Bethania, Waterloo, Lerpwl, 1992-2013

CRËWYD EGLWYS BETHANIA ar ddechrau'r flwyddyn 1992 drwy uno Eglwys Stanley Road, Bootle, ag Eglwys Waterloo, Crosby Road South. Roedd swyddogion y ddwy eglwys wedi ei chael yn anodd cynnal yr Achosion yn enwedig ers ymadawiad y gweinidog y Parchedig R. E. Hughes i Dremadog ar ddiwedd 1989. Gydag aelodaeth y ddwy Eglwys yn disgyn o flwyddyn i flwyddyn roedd yn frwydr anodd i gadw eu hannibyniaeth a'r Achos Gymraeg yn fyw yng Ngogledd Lerpwl. Roedd y gost o gynnal a chadw'r adeiladau yn faich a phoendod, ond anodd iawn oedd argyhoeddi'r aelodau fod yn rhaid cynllunio a meddwl yn ddifrifol am y dyfodol. Bu blaenoriaid y ddwy eglwys yn trafod y broblem yn answyddogol ond roeddynt hwythau yn gyndyn i uno. Llythyrwyd aelodau'r ddwy Eglwys yn ystod mis Hydref 1988 ynglŷn ag uno, ond gwrthododd Stanley Road. Cytunwyd i gael pedwar gwasanaeth ar y cyd yn ystod y flwyddyn 1990 i weld a fyddai'r ymateb wedyn yn fwy cadarnhaol.

Mynnai swyddogion Waterloo fod Crosby Road South yn fwy canolog a hanesyddol gyda nenfwd unigryw ar y capel. Roedd capel Stanley Road a ail adeiladwyd wedi'r rhyfel yn hardd ac mewn cyflwr gwell a hi oedd 'Y Fam Eglwys'. Caewyd capel y Bedyddwyr yn Balliol Road ac roedd Salem, Capel yr Annibynwyr yn Hawthorn Road, ar ei hanadl olaf er yn adeilad fodern a chyfleus ar gyfer tua chant o addolwyr. Derbyniwyd gwahoddiad i Eglwys Stanley Road rannu cyfleusterau'r Annibynwyr ond daeth gwrthwynebiad cadarn oddi wrth Henaduriaeth Lerpwl a phallodd yr Achos hwnnw yn fuan.

Daeth y diwedd pan aeth Capel Stanley Road i drafferthion ynglŷn â chyflwr y Tŷ Capel a oedd wedi arbed ei chwalu yn nifrod y bomio yn

1941. Cafodd ei gondemnio ac mewn dim amser, yn absenoldeb gofalwr, daeth fandaliaid a lladron i ddirywio'r adeiladau. Cafodd y dewis o uno yn Waterloo ei wneud gan y pwysau allanol hyn.

Penderfynwyd uno'r ddwy eglwys ar ddechrau'r flwyddyn 1992. Ar bnawn Sul, Ionawr 5ed 1992, trefnwyd Gwasanaeth o Ddiolchgarwch am yr Adeiladau yn Stanley Road, Bootle, o dan gyfarwyddwyd y Parchedig Dr D. Ben Rees. Daeth cyfnod hir a llewyrchus iawn yn Hanes Presbyteriaid Cymru Lerpwl i ben. Cymerwyd rhan yn y gwasanaeth gan y tri blaenor Mri T. Selwyn Williams, Dewi Garmon Roberts a John P. Lyons, a daeth nifer helaeth o gyn aelodau a chyfeillion yr Achos ynghyd. Gwerthwyd yr adeiladau am £103,000 a sicrhawyd fod cofgolofn y milwyr yn cael ei hail leoli yn amlwg o flaen y capel. Anfonwyd llyfrau a dogfennau Eglwys Stanley Road (1863 i 1992) i'r Llyfrgell Genedlaethol yn Aberystwyth yn 1997. Yn ddiweddarach ar fore Sul, 12fed o Hydref 2003, trefnwyd gwasanaeth oddi allan i'r adeilad gan Gymdeithas Etifeddiaeth Glannau Mersi; cymdeithas a ddaeth i fodolaeth oherwydd gweledigaeth y Parch. Dr D. Ben Rees a'r diweddar Mr Hugh Begley, Penbedw. Ymgynullodd tua hanner cant o gyn aelodau Capel Stanley Road, Bootle, oddi allan i'r adeilad mewn gwasanaeth awyr agored. Dadorchuddiwyd plac dwyieithog gan Miss Eirian Roberts, un o blant yr Eglwys, er mwyn hysbysu ac argyhoeddi trigolion Bootle fod eglwys Gymraeg wedi bodoli ar Stanley Road am genedlaethau. Cyflwynodd Miss Roberts eiriau cymeradwy yn ei hanerchiad cofiadwy ar risiau'r capel oddiallan i'r adeilad.

Cynhaliwyd cyfarfod cyntaf swyddogion yr Eglwys Newydd ar nos Lun, 13eg Ionawr 1992, o dan lywyddiaeth Mr John P. Lyons gyda phob blaenor yn bresennol. Drwy bleidlais dewiswyd 'BETHANIA' yn enw ar yr eglwys newydd. Etholwyd Swyddogion yr Eglwys gyda Mr John P. Lyons yn Ysgrifennydd a Mr R. Alun Roberts yn Is-ysgrifennydd, Mr J. Alun Edwards yn Drysorydd, Mr R. D. Lewis yn arweinydd y gân a Mrs Nan Lewis yn organyddes. Trefnwyd Pwyllgor Ymgynghorol o aelodaeth y ddwy eglwys. Roedd *Y Ddolen* i barhau o dan olygyddiaeth Mr R. Alun Roberts gyda chylchrediad o 120 y mis.

Gwelwyd eglwys sylweddol yn dod i fodolaeth gyda'r uniad – eglwys yn cynnwys 81 aelod ar lyfrau'r capel yn cael eu harwain gan saith o flaenoriaid. Dechreuad llewyrchus, ond byr fu'r cyfnod, disgynnodd yr aelodaeth

o flwyddyn i flwyddyn trwy farwolaethau a hefyd rhif presenoldeb yn yr oedfaon oherwydd oedran a llesgedd. Ni chiliodd y pwysau ariannol yn gyfan gwbl a gwelwyd fod angen gwariant uniongyrchol wedi arolwg E. C. Harris (ymchwilwyr ar ran y Gyfundeb) o dros £30,000 ar adeiladau'r Eglwys a'r swm sylweddol o £123,000 yn y tymor hir.

Ar ddiwedd Ebrill 1992 hysbyswyd yr Eglwys fod Mr David Charles Williams a'r teulu yn symud i fyw ac i fod yn geidwaid Tŷ Capel y Cysegr, Bethel, Caernarfon. Roedd David a'i wraig Margaret wedi cael eu bedyddio eu magu a phriodi yn Eglwys Waterloo; a bu Mr H. R. Williams, tad David, yntau yn flaenor gweithgar yno am flynyddoedd. Erbyn diwedd y flwyddyn gwelwyd fod aelodaeth yr Eglwys wedi gostwng i 67.

Pennod 12

Gweinidogaeth y Parchedig Dr D. Ben Rees

DECHREUAD GOFALAETH LERPWL A'R CYFFINIAU

CYNHALIWYD CYFARFOD swyddogion ar 10fed Chwefror 1992 yn Eglwys Bethania dan Lywyddiaeth Mr E. Goronwy Owen, Bethel, i drafod ffurfio Gofalaeth newydd i gynnwys Bethel, Heathfield Road a Bethania, Waterloo. Roedd yn amlwg fod y pwyllgor yn awyddus iawn i ffurfio gofalaeth unedig o dan arweiniad y Parchedig Dr D. Ben Rees. Aeth y gwaith ym mlaen a chymerwyd llais y ddwy eglwys. Cafwyd ymatebiad cadarnhaol a sefydlwyd 'Gofalaeth Lerpwl a'r Cyffiniau'.

Y Parchedig Dr D. Ben Rees sydd wedi bod, ac yn dal yn arweinydd eglwysi a chymuned Gymraeg Glannau Merswy ers dros ddeugain mlynedd a phump bellach. Gwahoddwyd ef gyda'i wraig Mrs Meinwen Rees a'r meibion Dafydd a Hefin i fugeilio Eglwys Heathfield Road yn 1968. Mewn amser unodd eglwysi De Lerpwl a daeth yn gyfrifol am yr holl Gymry yn Neheudir y Ddinas. Mae egni a gallu anhygoel ganddo a heblaw am ei bregethu nerthol a'i ofal am ei braidd, mae yn ymwneud â gweithgarwch cymunedol, yn darlithio yn Gymraeg a Saesneg, yn ymchwilydd dyfal i hanes crefyddwyr ac enwogion Cymraeg sydd wedi gwneud eu hoel ar Gymdeithas, llenyddiaeth a chelfyddwaith. Mae wedi cyhoeddi dros 70 o lyfrau ar grefydd a hanes yn y ddwy iaith. Cafodd ei ordeinio hanner can mlynedd yn ôl gan ddechrau gweinidogaethu yng Nghwm Cynon ardaloedd glo'r De a phrin fod yna gapel Presbyteraidd Cymraeg yng Nghymru nad ydyw wedi pregethu ynddo. Er ei holl weithgarwch mewn byd a betws ni fydd byth yn esgeuluso ei braidd a gwelais ef yn dod o'r ysbyty wedi llawdriniaeth drom ac mewn ychydig ddyddiau yn cynnal angladd un o'i braidd. Bu rhaid iddo ymddeol o'r weinidogaeth

dan reolau'r Gymanfa Gyffredinol pan gyrhaeddodd 70 mlwydd ond ni phallodd ei ymroddiad na'i weithgarwch oddi ar hynny. Mae yn pregethu yn rhywle bob Sul, yn Gymraeg neu yn Saesneg, ac yn gyson arwain cyfarfodydd ar noson waith. Deil i drefnu darlithoedd, cyngherddau a chyfarfodydd o bob math ac o dan ei ddylanwad cawn ers blynyddoedd bellach Gyfarfod Gŵyl Ddewi, gyda Arglwydd Faer y ddinas ac arweinwyr dinesig y Glannau yn bresennol, yn Neuadd y Dref, Lerpwl, ar Fawrth y cyntaf. Ef yw golygydd ein Papur Bro ers y rhifyn cyntaf yn 1979, sef *Yr Angor*. Mae yn sosialydd brwd gydag argyhoeddiadau cryf sydd yn dynfa i bobol y cyfryngau, radio a theledu. Wedi'r cyfan bu'n Ysgrifennydd Bwrdd Eglwys a Chymdeithas y Gymanfa Gyffredinol am 19 mlynedd, ac yn aelod o Gyngor Eglwysi Prydain a Iwerddon, ac yn adnabod arweinwyr yr holl enwadau yng Nghymru, Lloegr a Glannau Mersi heblaw arweinwyr crefyddau eraill yn arbennig Iddewiaeth.

Cynhaliwyd gwasanaeth sefydlu'r Parchedig Dr D. Ben Rees yn weinidog ar Eglwys Bethania ar bnawn Sul, 7fed Chwefror 1993, o dan arweiniad Llywydd yr Henaduriaeth y Parchedig T. R. Wright. Cafwyd cynrychiolaeth gref o'r holl Henaduriaeth. Cyflwynwyd y Gweinidog ar ran Eglwys Bethel, Heathfield Road gan ei Hysgrifennydd, Mr Humphrey Wyn Jones, ac ar ran yr Henaduriaeth gan Mr Clifford Owen, Ellesmere Port. Offrymwyd gweddi ar ran yr eglwys ym Methania a'r Gweinidog gan Lywydd y Gymanfa Gyffredinol, Dr R. Arthur Hughes (a fu yno yn fachgen ifanc pan oedd ei dad, y Parchedig Howell Harris Hughes yn weinidog ar yr Eglwys). Croesawyd ef i'w ofalaeth gan yr Ysgrifennydd Mr John P. Lyons a Mr Dewi Garmon Roberts. Traddodwyd y Siars i'r Eglwys a'r Gweinidog gan y Parchedig D. Glanville Rees, un arall a fu yn affaeliad i ni ar y Glannau ers blynyddoedd lawer.

Nodwyd fod Mr R. Alun Roberts, un o bileri'r Achos, wedi ei ethol yn flaenor yn Eglwys Douglas Road, Anfield, ar 12fed Ebrill 1938, a'i ordeinio yn Chatham Street ym mis Mai yr un flwyddyn. Ni symudodd at Gwyneth ei wraig a Gwenda ei ferch i gapel Waterloo hyd nes caewyd Eglwys Douglas Road. Efallai ei bod yn edrych dipyn yn od i'r teulu addoli ar wahân ond y rhesymeg oedd bod Alun yn deyrngar iawn i'w Eglwys yn Douglas Road, Anfield, a Gwyneth a'i theulu (y Lewisiaid) wedi bod yn rhan o Waterloo o ddechreuad yr Achos o'r bron. Clerc i gwmni o gyfreith-

wyr yn ninas Lerpwl oedd Alun ac yr oedd yn drylwyr ym mhob gwaith gweinyddol. Ni châi unrhyw wall fynd heibio heb iddo dynnu sylw ato a'i gywiro. Cyflawnodd amryw orchwyl ar ran ei eglwys a'r Henaduriaeth ac ef oedd yn gyfrifol am drefnu'r 'Plan Chwarter' i osod y nifer helaeth o weinidogion a phregethwyr lleyg yn eglwysi'r Glannau. Cafwyd gwasanaeth a pharti ar 10fed Mai 1998 i nodi ac i ddathlu gwasanaeth Mr Alun Roberts fel blaenor ymroddgar am 60 mlynedd.

Bu farw Trysorydd yr Eglwys, Mr J. Alun Edwards B.A., yn 1994 wedi cyfnod anodd iawn o waeledd. Roedd hon yn ergyd sylweddol i'r eglwys gan i Alun lywio llawer o'r gweithgareddau ynglŷn ag uno'r Eglwys ym Methania. Roedd yn flaengar yn yr Henaduriaeth, yng ngweithgareddau defosiynol yr eglwysi, a byddai cyfarfodydd Swyddogion Bethania yn cael eu cynnal yn ei gartref ef a Mrs Menna Edwards yn rheolaidd. Rhaid oedd cael Trysorydd a daeth Mrs Menna Caton i'r adwy am gyfnod byr cyn i Mr T. Selwyn Williams (cyn Trysorydd Stanley Road) ymgymryd â'r gwaith.

Oherwydd cyflwr ei iechyd gwelwyd Mr Richard Hughes, Myers Road East, yn ymddiswyddo fel blaenor ar ddechrau 1995 wedi ugain mlynedd yn y swydd. Daliodd yn selog i'r gwasanaethau ond bu yn rhaid iddo ymfudo i ofal ei ferch yn Ninbych y Pysgod yn 2001. Bu farw mewn ychydig ddyddiau a daethpwyd â'i weddillion adref a chynnal ei angladd ym Methania o dan ofal Dr Rees a'i gefnder y Parchedig R. Glyn Jones, Llangollen.

Daeth ergyd arall ar ddechrau 1996 ym marwolaeth y blaenor Mr Dewi Garmon Roberts, Maghull, gan adael ond tri blaenor i ymwneud â'r gwaith. Daeth Dewi, Bet a'i thri phlentyn Nia, Nerys a John o Benmachno i ofalu am Gapel Stanley Road, Bootle. Cafodd swydd gyfrifol gyda Chwmni Littlewoods. Gŵr hoffus a distaw oedd Dewi ac yn weddïwr teimladwy. Daeth o ardal a chefndir diwylliannol a hoffai adrodd barddoniaeth a llenyddiaeth. Wrth arwain defosiwn yr Eglwys byddai yn gwbl ysbrydoledig. Cyfoethogodd y nefoedd gyda'i ysbrydolrwydd diffuant.

Oherwydd y bylchau ffurfiwyd 'Pwyllgor Swyddogion yr Eglwys' yn cynnwys y tri blaenor a Mr R. D. Lewis, Miss Eirian Roberts a Miss Hilda Pierce i gyflawni'r gwaith. Roedd gwreiddiau Bob yn y 'Mission Hall, Bankhall' ac Eirian yn gynyrch Stanley Road. Roedd Miss Hilda Pierce yn gymeriad arbennig fel ei theulu o'i blaen yn rhoddi ei barn 'heb flewyn ar

dafod'. Ei thad Herbert Pierce yn ymrwymo i Stanley Road neu Waterloo fel yr oedd ei berthynas yn gweddu.

Yng nghyfarfod Hydref 1996 trafodwyd strategaeth yr Eglwys gogyfer y dyfodol am fod yr aelodaeth yn disgyn a hefyd mewn perthynas â'r ffaith fod Eglwys Bethel, Heathfield Road, yn bwriadu datblygu a moderneiddio ei hadeiladau. Amcanwyd bod y ddwy eglwys yn uno tua'r flwyddyn 2002 a gwahoddwyd Mr John P. Lyons a Mrs Mona Bowen, sydd yn awr yn byw yn Aberystwyth, yn aelodau o Bwyllgor Strategaeth Bethel, Heathfield Road, yn 2001. Yn anffodus daeth y datblygiad i drafferthion cyfreithiol blin a daliwyd y cynllun yn ôl am flynyddoedd. Ond bellach gwireddwyd y weledigaeth o gael lle addas a chanolfan hyfryd i gymdeithasu.

Cyhoeddwyd y pum canfed rifyn o'r *Ddolen* ym mis Mawrth 1997. Camp nid bychan a mawr yw ein dyled i'r Golygyddion a'r dosbarthwyr.

Daeth holiadur o'r Brifysgol Agored ynglŷn â phresenoldeb yn y gwasanaethau ar y Sul, 16eg Mawrth, a nodwyd bod 5 gŵr a 13 gwraig yn yr oedfa foreol. Roedd yn amlwg fod sefyllfa'r Eglwys yn gwanhau'n sylweddol.

Achlysur mawr i Gristionogaeth oedd y flwyddyn 2000, ac yn sgil y dathlu daeth gair o reidrwydd o'r Cyfundeb yng Nghaerdydd i bob eglwys dderbyn ymchwiliad o adeiladau'r Eglwys gan gwmni E. C. Harris parthed ei chyflwr yn gyffredinol a'u haddasrwydd gogyfer Iechyd a Diogelwch a chyfleusterau Anabledd. Yn deillio o adroddiad y Cwmni gwelwyd fod gwariant o leiafswm o £31,715 yn angenrheidiol yn uniongyrchol ar yr adeiladau. Barnwyd bod cyflwr adeiladau Waterloo yn weddol dda ond am fod cynlluniau ar y gweill i uno â Bethel penderfynwyd arbed gwneud y gwaith os nad oedd yn wir angenrheidiol. Ym mis Awst 2000 gwnaed difrod sylweddol i dŵr yr Eglwys gan fellten. Trwswyd y difrod ac aeth pethau ymlaen fel arfer!

Mynegodd Mr T. Selwyn Williams, Litherland, ar ddiwedd y flwyddyn 2000 ei fod yn awyddus i ymddiswyddo o drysoryddiaeth yr Eglwys oherwydd ei oedran a chyflwr ei iechyd. Gwnaed ymholiadau ymysg yr aelodau ond ni chytunodd neb i ymgymryd â'r cyfrifoldeb. Am fod yr Eglwys yn cyd-weithio ag Eglwys Bethel mewn aml i ffyrdd cytunodd Mr E. Goronwy Owen, Trysorydd Bethel, weithredu fel Trysorydd Bethania. Gwnaeth hyn gyda gofal ac anrhydedd am ddeng mlynedd nes i'w olwg a'i ddeheurwydd yntau ballu. Cytunodd Mrs Elin Bryn Boyd ymgymryd â'r cyfrifoldeb gyda help ei gŵr, Mr Jim Boyd.

Pennod 13

Uniad Eglwysi Bethania a Peniel, Southport

YNG NGHYFARFOD Y SWYDDOGION ar 8fed Mehefin 2000 cyhoeddwyd fod Eglwys Peniel yn awyddus i uno gyda Bethania ar ddechrau'r flwyddyn 2001. Derbyniwyd y cais a chafwyd Gwasanaeth Uno cofiadwy ar bnawn Sul, 17eg Rhagfyr 2000, yn Southport i ddiolch am gyfraniad Eglwys Peniel, yr unig Achos Gymraeg yn y dref. Rhoddwyd braslun o hanes yr Eglwys a sefydlwyd yn 1864 gan y Parchedig Dr D. Ben Rees a siars i'r Eglwys Newydd gan y Parchedig Dr Elfed ap Nefydd Roberts, Llywydd Sasiwn y Gogledd. Oherwydd gwendid ei hiechyd darllenwyd cyfraniad Mrs Gwyneth Evans, unig Flaenor Eglwys Peniel, gan y Barchedig Eleri Edwards, Llywydd yr Henaduriaeth. Croesawyd aelodau Peniel ar ran Bethania gan Mr John P. Lyons a gweddïwyd drosom ni oll gan y Parch. D. Glanville Rees, oedd wedi rhoddi gofal i'r Eglwys am rai blynyddoedd. Yr organyddes oedd Mrs Ethel Williams. Wedi'r Oedfa cafwyd gwahoddiad i de yng Ngwesty'r Prince of Wales, lle y bu ymddiddan, cymdeithasu a sôn am y pethau a fu ac am y dyfodol. Cynhaliwyd gwasanaeth o groeso i'r aelodau newydd yn Eglwys Bethania ar fore Sul, 7fed Ionawr, o dan ofal y Parch. D. Glanville Rees.

Bregus fu iechyd Mrs Gwyneth Evans wedi'r uno a bu farw yn ystod mis Mehefin 2004 yng ngofal ei mab Mr David Evans sydd yn dal i gysylltu â Bethania. Bu Mrs Evans ynglŷn â gwaith ei Harglwydd gydol ei hoes a rhoddodd wasanaeth gwerthfawr, tra gallai, fel aelod, blaenor ac ysgrifennydd yng Nghapel Peniel, Southport. Bu yn flaenllaw yng ngweithgareddau gwragedd y Glannau yn enwedig gyda'r Genhadaeth Dramor. Ni chaniataodd ei hiechyd iddi fynychu'r moddion ym Methania ond unwaith wedi'r uno. Derbyniodd gysuron yr Efengyl yn ymweliadau Dr D. Ben Rees, ffrind mawr iddi hi a'i phriod, D. Cecil Evans, a ddaeth yn

wreiddiol o Bencader, Sir Gaerfyrddin. Dau o Gymry a fu'n gwarchod y 'pethe' yn Southport am genedlaethau.

Daeth dau o aelodau Peniel yn ffyddlon iawn i Bethania, sef Mrs Beryl Gratton, a symudodd i Blaenau Ffestiniog at ei theulu ymhen amser, a Mr Glyn Roberts a ddaeth yn gyson hyd at ei farwolaeth ym mis Medi 2011 yn 93 mlwydd o oedran. Ond oherwydd y pellter ffordd ac oedran yr aelodaeth ni fu fawr o gynnydd ymarferol yn aelodaeth Bethania. Wedi'r uniad trefnodd y Barchedig Eleri Edwards, oedd ar y pryd yn Gaplan y Glannau, i'r rhai na allent ddod i Fethania gyd-gyfarfod yn nhai ei gilydd yn Southport yn fisol i gynnal gwasanaeth a gweinyddiad o'r Cymun. Bu'r trefniant hwn mewn bodolaeth am ddeunaw mis.

Gydag uniad Peniel daeth Bethania yn undod cyflawn o eglwysi o bob enwad yn y Gogledd o dan ofalaeth y Parchedig Dr D. Ben Rees. Roedd cylch bugeilio y Gweinidog bellach o dref Widnes i Ashton-in-Makerfield, ger Wigan, ac o Southport i Hunt's Cross, darn gwlad eang, ond cyflawnodd ei ddyletswyddau yn gydwybodol. Camp aruthrol i fugeilio darn mor eang gyda traffig trwm ond ni fu llaesu dwylo yn ei hanes. Fel Calfinydd gwybodus y mae yn ymwybodol bob awr o'r dydd o'r alwad a gafodd yng Ngheredigion yn y pumdegau i wasanaethu Iesu Grist ei Arglwydd hyd eithaf ei allu. Ni fu priodas fwy delfrydol rhwng y Gweinidog a theulu-oedd yr ofalaeth anferth gyda phawb yn gytûn, er bod y teulu yn wasgaredig ac yn prinhau. Roedd nifer helaeth o'r aelodaeth yn llesg ac oedrannus yn haeddu gofal cariadus ond hefyd roedd cnewyllyn digonol o'r 'canol oed' ymroddedig i sicrhau'r dyfodol am nifer dda o flynyddoedd. Er y dyheu am gadw'r Achos yn y Gogledd yn fyw, pleidleisiodd y gynulleidfa ym mis Mehefin 2003 i uno gydag Eglwys Bethel gan ddisgwyl y byddai'r Eglwys honno fod wedi ei chwblhau o fewn blwyddyn neu ddeunaw mis. Yn anffodus ni welwyd gwireddu'r freuddwyd hyd Hydref 2011, ac felly ni weithredwyd yr uniad. Bydd yn rhaid ail ystyried y cyfan yn y dyfodol agos ond tra deil Dr D. Ben Rees wrth y llyw mi fedrwn ymlwybro gyda'n gilydd fel gofalaeth Lerpwl a'r Cyffiniau.

Pennod 14

Argyfwng yr Eglwys yn 2002

DALIWYD YMLAEN i addoli yn adeiladau Waterloo, Crosby Road South, a chloriannwyd y sefyllfa ym Methania ac ym Methel ar y pryd yn rhifyn Awst 2002 o'r *Ddolen*:

> Ar fore Sul, 7 Gorffennaf, wedi'r gwasanaeth cafwyd arolwg a thrafodaeth ynglŷn â gwaith a dyfodol ein heglwys. Mae ein haelodaeth yn lleihau ond y mae 16 o ffyddloniaid yn mynychu'r oedfaon yn gyson. Mae graen ac ysbrydoliaeth gyfeillgar yn yr hyn yr ydym yn ei gyflawni a diolchwyd i bob un sydd yn cymryd rhan arweiniol neu yn helpu yn y gweithgareddau. Gweithgareddau sy'n cynnwys trefnu gwasanaethau; caniadaeth y cysegr; cludo aelodau i'r amryw gyfarfodydd; cyhoeddusrwydd drwy'r *Ddolen* a'r *Angor*; ymweld â'r cleifion a'r henoed; y cymdeithasu arbennig ar y Nadolig a Gŵyl Ddewi a'n parti blynyddol yng nghartref Mona ac Evan Bowen. Mae mwy na hyn yn cael ei wneud a theimlwyd ein bod yn eglwys fyw a bywiog gyda'r rhan arweiniol 'swyddogol' yn cael ei gyflawni gan Mr John P. Lyons sydd yn cynrychioli'r eglwys yng nghyfarfodydd yr Henaduriaeth; ac yn amryw bwyllgorau a llysoedd y Gyfundeb. Ni fuasai hyn wedi bod yn bosib heb arweiniad y Parchedig Dr D. Ben Rees a hefyd Mr E. Goronwy Owen, Bethel, a ymgymerodd â gwaith trysoryddiaeth Bethania. "

Gwelwyd mai'r ffordd ymlaen oedd uno mewn un Eglwys Gymraeg ym Methel pan fyddai'r eglwys honno wedi'i hail adeiladu. I baratoi ar gyfer hyn rhoddodd yr aelodau ganiatâd i swyddogion yr Eglwys wneud y trefniadau angenrheidiol gogyfer gwerthu adeiladau Waterloo. Amcanwyd

y cymerai'r gwerthiant fisoedd i'w gwblhau, ac oherwydd y pryder am weld y cyntedd yn cael ei fandaleiddio nid oedd yr aelodau am weld y safle'n wag am hir amser.

Cafodd Eglwys Bethel awdurdod y Cyfundeb i symud ymlaen i ail-drefnu eu hadeiladau a daeth dau gynrychiolydd o Fethania i fod ar y Pwyllgor Datblygu. Dengys hanes Bethel y trafferthion a wynebwyd am flynyddoedd cyn gwireddu'r freuddwyd am y 'Bethel Newydd' ddiwedd y flwyddyn 2011.

Collwyd trwy farwolaeth flaenor hynaf yr eglwys yn Hydref 2002, sef Mr R. Alun Roberts, a fu mor ofalus o weithgareddau eglwysi Douglas Road a Waterloo am dros drigain mlynedd; bu hefyd yn trefnu llawer o waith o fewn Henaduriaeth Lerpwl. Mynnai fel ysgrifennydd i gwmni o gyfreithwyr yn y Ddinas fod popeth yn drefnus, ac yr oedd ef a'i gymar annwyl Gwyneth a thu hwnt o ffyddlon i waith Iesu Grist. Roedd Mrs Gwyneth Roberts yn ferch i un o flaenoriaid cynnar eglwys Waterloo, sef Mr John Lewis, 5 Enbutt Lane, ac y mae hanes y teulu yn frith yng ngweithgareddau Eglwys Waterloo gydol y blynyddoedd. Chwaer Gwyneth oedd Miss Heulwen Lewis fu'n byw yn yr hen gartref yn Enbutt Lane bron hyd at ddiwedd ei hoes yn 2010; fe'i bedyddiwyd gan y Parchedig William Henry, gweinidog cyntaf yr Eglwys. Mae Gwenda Dunn, merch Alun a Gwyneth yn dal yn aelod ym Methania. Talodd John Lyons y deyrnged yma iddo yn *Y Ddolen*:

> Collodd ein heglwys; a chapeli Cymraeg Lerpwl ffrind a gweithiwr gofalus a chydwybodol ym marwolaeth ein blaenor Mr R. Alun Roberts. Mae ei hoel ar bob peth sydd yn ymwneud ag eglwys Gymraeg Iesu Grist yn y ddinas yma ac mae gennyf lu o'i nodiadau i fy nghyfarwyddo yn fy ngwaith o'i ddilyn fel Ysgrifennydd Capel Waterloo. Dyn ei gartref, y capel a'i waith ydoedd. Yn ei gartref gyda Gwyneth ei wraig annwyl byddai hapusrwydd a bodlonrwydd yn ymbelydru o'u cwmpas a daethoch o Milton Road yn falch o fod wedi bod yn eu cwmpeini. Roedd yn weinyddwr penigamp a hyn wedi ei gyplysu a chof eithriadol yn arwain iddo ymgymryd â llawer o swyddi yn yr Henaduriaeth dros ei flynyddoedd maith. 'Y Capel' a'r pethau oedd ei wir ddiddordeb fel y tystiodd ein Gweinidog yn

ei dysteb glodwiw iddo – fe garai ddweud a chlywed am yr Hanes. Pe bai pethau wedi troi allan yn ei fywyd fel y dymunai, pregethwr yr Efengyl a fynnai fod. Gwas da a ffyddlon i Iesu Grist a bydd hiraeth y teulu a ninnau, 'teulu Bethania', yn barhaol.

Roedd Mr Alun Roberts wedi ymddiswyddo o fod yn olygydd *Y Ddolen* ym mis Mai 2001 wedi naw mlynedd wrth y gwaith a daeth Mrs Mona Bowen i'r adwy. Un o wragedd diwyd yr Eglwys oedd Mona ac yn gefnogol i holl weithgareddau eglwysig a chymdeithasol Cymraeg ynghyd â gweithgareddau cymunedol ei bro yn West Derby. Edrychwyd ymlaen at y 'te parti' blynyddol bob Haf yng nghartref Mona a'i chymar Evan yn Eaton Road. Mae Mona wedi symud bellach i fyw i Aberystwyth yn nes at ei mab dawnus, y telynor Robin Huw Bowen, ac wedi cartrefu yng nghapel gweithgar y Morfa. Deil mewn cysylltiad agos â phobl y Glannau a bu nifer ohonom yn cael arhosiad croesawus yn ei chartref newydd yn Nhrefechan.

Bylchwyd swyddogaeth yr Eglwys eto ym marwolaeth Mr T. Selwyn Williams, Litherland, ddiwedd 2003 er nad oedd wedi gallu bod yn weithredol ers peth amser. Roedd Selwyn yn ddyn da a daliodd feichiau bywyd, a oedd am gyfnodau hirion yn anodd, gydag amynedd a charedigrwydd. Gŵr llon a hynod groesawus. Yn gadarn ei farn ond yn dyner pe byddai yn anghytuno. Dyn y 'capel' gydol ei oes ac yn cofio llanw crefydd yn ardaloedd Cymoedd y De a'r Glannau, gydag acen y De ar ei leferydd hoffai sôn am y 'pethau' a'i fywyd cynnar yn Maerdy, Rhondda Fach. Daeth i Bootle yn ddyn ifanc adeg y dirwasgiad i chwilio am waith gan drigo gydag aelodau o'i deulu. Roedd yn gyfrifydd penigamp a daeth yn brif gyfrifydd cwmni Littlewoods. Roedd Selwyn Williams yn drysorydd ac arweinydd ym myd y Capel ac yn batrwm o flaenor cydwybodol a gweithgar.

Ar 1af Ionawr 2006 bu farw Mr Bob Lewis a chollodd Eglwys Bethania'r beth prin iawn y dyddiau hyn, sef 'Arweinydd y Gân' neu'r 'Codwr Canu'. Roedd Bob yn ei elfen yn dewis a dethol y tonnau ar gyfer ein gwasanaethau ac wedi bod yn aelod o amryw o gorau gan gynnwys 'Côr y Cymric'. Bu yn Ysgrifennydd Ariannol yr Eglwys hyd ei farwolaeth, ond roedd yn fwy na hyn drwy ei ymweliadau cyson gyda Nan at y rhai oedd yn gaeth i'w cartrefi neu mewn Ysbyty. Bu ef a'i wraig Mrs Nan Lewis yn

ymwneud â Chaniadaeth y Cysegr am flynyddoedd maith ac mae Mrs Lewis yn dal i gyfeilio bob Sul ym Methania er ei bod dros ei naw deg oed.

Gwaethygu a wnaeth sefyllfa Bethel ynglŷn â chael eglwys newydd ac wedi'r oedfa bore Sul ar Ionawr 29ain 2006 bu cyfarfod yng ngofal y Gweinidog y Parchedig Athro D. Ben Rees a holl gynulleidfa'r eglwys i drafod dyfodol Bethania. Yn bresennol oedd: Mr John P. Lyons, Mrs Nan Lewis, Mrs Menna Edwards, Mrs Menna Caton, Miss Hilda Pierce, Miss Heulwen Lewis, Miss Dorothy Williams, Miss Kitty Roberts, Miss Glenys Jones, Mrs Mona Bowen, Mrs Marian Lyons, Mr Alun Evans, Mr Glyn Roberts, Miss Margaret Rowlands, Mr Jim Boyd; Mrs Elin Bryn Boyd, Mr R. Elwyn Jones; ynghyd â chyfeillion yr Achos, Mrs Pam McNamara a Mrs Phyllis Weaver.

Agorwyd gydag adroddiad o'r sefyllfa er y cyfarfod bore Sul, Mehefin 29, 2003, pan bleidleisiodd Eglwys Bethania i uno gydag Eglwys Bethel pan gwblheid adnewyddu eglwys newydd Heathfield Road. Nid oedd cynlluniau i ddatblygu'r safle yn llwyddiannus oherwydd y moratoriwm oedd yn gwahardd rhai mathau o ddatblygiadau a gwrthodwyd y cais a gyflwynwyd gerbron Adran Datblygu'r Ddinas. Nid oedd rhagolwg o symud ymlaen a chael adeilad newydd am beth amser.

Sylweddolwyd fod aelodaeth Bethania yn lleihau a'r adeiladau yn dirywio, ac na ellid aros yn y capel yn hir. Gofynnwyd am lais yr eglwys ynglŷn â beth oedd dymuniad yr aelodau am yr amser rhwng cau a gwerthu Bethania a chael adeilad newydd ym Methel. Ym marn y mwyafrif o'r gynulleidfa dylid parhau i addoli yn yr ardal. Gyda hyn mewn golwg dylid ceisio llogi ystafell mewn eglwys neu adeilad arall cyfagos a chynnal oedfaon fel yr ydym ar hyn o bryd o Sul i Sul.

Derbyniwyd bod adeiladau Bethania yn faich i'w cynnal a gofynnwyd am ganiatâd yr Eglwys i'w gwerthu. Rhagwelwyd gadael Bethania tua diwedd Haf 2006 os na fyddai canlyniadau'r archwiliad nesaf yn ein rhwystro rhag defnyddio'r adeiladau yn gynt. Ym mis Mehefin 2007 rhoddwyd adeiladau Waterloo ar y farchnad (bu'n rhaid tynnu arwydd fwrdd gwerthiant y capel i ffwrdd ar gyfer cynhebrwng Miss Hilda Pierce ym mis Awst). Bu Hilda, fel ei thad, yn aelod yn Stanley Road a Waterloo gydol ei hoes ac yn weithgar yn sefydliadau'r Achos.

Pennod 15

Ymfudo ar draws y ffordd i Christ Church

DAETH AMSER I YMADAEL o gapel Bethania, Waterloo, ac ar bnawn Sul, 28ain Hydref 2007, trefnwyd Gwasanaeth o Ddiolchgarwch gan y Parchedig Dr D. Ben Rees, Gweinidog yr Eglwys, am yr adeiladau a'r hyn a gynhaliwyd ynddynt dros amser maith. Llywyddwyd gan Mr Rheinallt A. Thomas, Llywydd Cymdeithasfa'r Gogledd, a daeth nifer sylweddol ynghyd i ffarwelio â'r adeiladau hanesyddol a sanctaidd. Yn eu mysg roedd Mrs Dela Jones, Culcheth, merch Stephen Davies, cyn weinidog yr eglwys. Wedi'r oedfa trefnwyd lluniaeth ysgafn, ond digonol iawn, yn Ysgoldy'r capel, pryd y cafwyd cyfle i rannu atgofion melys a hiraethus am y dyddiau a fu.

Disgynnodd y gwaith o sicrhau a gwasgaru llyfrau, papurau a chelfi o bob math yn ymwneud â bywyd yr Eglwys i Mr John P. Lyons. Roedd ambell beth o ddyddiau cynharaf yr Achos a llawer mewn cyflwr rhy ddrwg i'w harbed. Rhaid oedd ail-gynhyrchu hen lyfrau canu a Beiblau oedd yn drysorau i unigolion ac yn aml wedi eu cyflwyno 'er cof' i'r capel gan deuluoedd nad oeddynt erbyn hyn yn gweld eu heisiau ac eto'n teimlo'n anghyfforddus gwneud i ffwrdd â hwynt. Rhoddwyd y llun mawr o'r Parch. Griffith Ellis, a ddiogelwyd pan yn datgorffori Stanley Road o flaen y pulpud yn ystod Gwasanaeth cau adeiladau Bethania i gofio am ei gyfraniad yn sefydlu a hybu'r Achos yn Waterloo.

Noda rhifyn Tachwedd 2007 o'r *Ddolen* hanes y Gwasanaeth Olaf ym Methania a bod Mrs Mona Bowen yn ymddiswyddo fel Golygydd y cylchlythyr. Yn ei geiriau ei hun dywed:

> Dyma'r *Ddolen* olaf i mi ddarparu ar eich cyfer. Bu yn bleser mawr casglu y newyddion i chwi am chwe blynedd. Teimlaf fod yr amser

wedi dod i mi gartrefu yn nes adra, ac felly, af i wasanaethau yn Bethel, Heathfield Road. Bu y pedair blynedd ar ddeg diwethaf yn hynod o hapus, a theimladau cymysg iawn sydd gennyf. Fe ddaw amser pan na allaf ddreifio'r car ac felly mae'r symudiad i Bethel yn un ymarferol. Diolch i bawb o Waterloo a fu mor gefnogol â chymaint o help i mi wneud fy rhan drosoch.

Ymatebodd Mr John P. Lyons wrth gymryd trosodd yr olygyddiaeth:

> Mis Mehefin 2001 yr ymgymerodd Mrs Mona Bowen â'r gwaith o ddilyn Mr Alun Roberts fel golygydd *Y Ddolen*. Gwnaeth ei gwaith yn ardderchog a rhoddi ei 'stamp' ei hun ar yr hanesion a'r ffordd oeddynt yn cael eu hadrodd. Nid gwaith hawdd yw cynhyrchu'r newyddion o fis i fis a bod yn ymwybodol o ddiddordebau ac anghenion ein haelodau. Ond cawsom y gwasanaeth hwn gan Mona. Nid yn unig y mae Mona yn peidio â bod yn olygydd i'r *Ddolen* ond y mae hefyd yn trosglwyddo ei haelodaeth, ac aelodaeth Evan, i Fethel. Mae ein colled yn fawr iawn o aelod a fu'n ffyddlon i'r gwasanaethau ac yn ddefnyddiol iawn i'n holl weithgareddau. Wrth golli Mona rydym yn colli un o'n prif drefnwyr yn ein bywyd cymdeithasol ac y mae bwlch enfawr yn ymddangos.

Ar y Sul, 9fed Rhagfyr 2007, cynhaliwyd ein gwasanaeth cyntaf yn ein cartref newydd yn Christ Church; yn union dros y ffordd i gapel Waterloo, yng ngofal y diweddar Mr Humphrey Wyn Jones. Mae'r cyfleusterau yn ardderchog a'r croeso yn dwymgalon fel yr ymddengys yng nghylchlythyr yr Eglwys Anglicanaidd ddechrau'r flwyddyn 2008:

> *Welcome to Bethania Welsh Presbyterian Church Waterloo – Christ Church extends a very warm welcome to Dr D. Ben Rees (Minister) and John Lyons (Deacon) and members, in what will be a sad time in leaving their 100 year old building and pray that they will soon feel settled in their "new church home".*

Rhyfedd clywed cymaint o aelodau Christ Church sydd â chysylltiadau Cymraeg – fel y mae yn wir am gymaint o drigolion ein Dinas. Tros-

glwyddwyd adeiladau'r capel i ddatblygwyr Mr Frank Rodgers ar 19 Mai 2008 a chan nad oes dim yn cymryd lle yno mae'r dirywiad yn boendod i'w weld.

Yn ôl rheolau'r Cyfundeb rhaid oedd i weinidog yr Eglwys, y Parchedig Dr D. Ben Rees, ymddeol fel gweinidog llawn amser dechrau'r flwyddyn 2008 a chynhaliwyd gwasanaeth ar 20fed Ionawr 2008 i gydnabod cyfraniad nodedig am ddeugain mlynedd yn Lerpwl, a hynny yn Eglwys Bethel. Cynhaliwyd hefyd wasanaeth o ddiolchgarwch am ei waith dros Fethania yn Christ Church a chael cinio yn y Royal Hotel. Cyflwynwyd tysteb anrhydeddus iddo a thorch o flodau i Mrs Meinwen Rees ond ni laesodd ddwylo. Parhaodd i fugeilio'r eglwysi ac arwain cymuned Cymry Lerpwl mor frwdfrydig ag erioed ac anrhydeddwyd ef yn Llywydd Henaduriaeth y Gogledd Ddwyrain am y flwyddyn 2009.

A hithau yn 88 mlwydd oed gwelwyd colli yn niwedd Ionawr 2008, drwy farwolaeth wedi cystudd hir ar ddiwedd ei hoes, Miss Eirian Roberts, Bootle. Yn nith i'r ddiweddar awdures Dr Kate Roberts bu Eirian yn flaenllaw yng ngweithgareddau'r Eglwys Bresbyteraidd Cymru yn Bootle a Chymdeithasau Cymraeg y Ddinas. Roedd Miss Roberts yn wraig radlon a llon ei gwedd ac yn hollol ddibynadwy. Perchid hi gan bawb ac yn enwedig ei chyn disgyblion di-rif yn Bootle a phawb ohonom ni yn y Cymdeithasau Cymraeg. Cafodd ei magu ar aelwyd Gristionogol a llengar Gymraeg wedi ei ganoli ar gapel Stanley Road, Bootle. Bu yn flaenllaw yn y ddawns werin. Siaradai Gymraeg yn rhugl gydag acen Sir Gaernarfon. Yn yr un mis collwyd Mr Evan Bowen, West Derby, cynnyrch Ynys Môn, un a fu yn gefnogol iawn i Mona yng ngwaith cymdeithasol yr Eglwys. Athro Ysgol a orffennodd ei yrfa yn ardal Anfield fel Prifathro. Bu noson o gofio a gwerthfawrogi cyfraniad Mr Bowen yng Nghymdeithas Cymry Lerpwl, gan ei fod ers blynyddoedd yn Is-Lywydd cymeradwy a chefnogol.

Daeth Bethania yn rhan o Henaduriaeth y Gogledd Ddwyrain ddechrau'r flwyddyn 2009 ac wedi peth ansicrwydd ym mysg y Dosbarthiadau daeth yn uniad hapus er yn wasgaredig wrth gynnwys Lerpwl, Fflint, Wrecsam a Manceinion. Mae John P. Lyons bellach wedi ei ethol yn Llywydd yr Henaduriaeth am y flwyddyn 2013. Ef yw'r trydydd flaenor i gael yr anrhydedd, yn dilyn llwybrau Dr Gwyn Rees-Jones, Manceinion, y Barnwr Eifion Roberts, QC, Caer, a llwyr haedda'r cyfrifoldeb.

Arweiniwyd gwasanaethau'r Eglwys ar hyd y blynyddoedd anodd hyn gan ein gweinidog, Dr D. Ben Rees a gweinidogion yr Henaduriaeth newydd. Hefyd cafwyd gwasanaeth gan y Parchedig D. Glanville Rees, aelodau'r Cwrs Byr a'r Barchedig Margaret Quayle sydd yn ordeiniedig yn yr Eglwys Anglicanaidd ac a gafodd ei magu yn Eglwys Waterloo. Pump merch arall y cawn eu cwmni a'u cyfraniad yn oedfa'r Sul ydyw Miss Iris Hughes-Jones, Wallasey, Miss Rachel Gooding, Toxteth, Parchedigion Glenys Wilkinson, Heswall, Kathy Bennett, Knotty Ash a Eleri Edwards, Manceinion. Cafwyd hefyd arweiniad gan y Parchedig David Williams, Caplan Anglicanaidd Ysbyty Plant Alder Hey a chynnyrch Stanley Road; bydd aelodau'r eglwys yn cyfarfod yn ei gartref yn Crosby ddwywaith y flwyddyn i ddilyn cwrs Astudiaeth Feiblaidd.

Ail gyhoeddwyd copi o'r *Ddolen* gyntaf dyddiedig Hydref 1953 yn rhifyn Mai 2009. Dengys fel y mae gweithgareddau'r Eglwys wedi lleihau yn ddirfawr oherwydd bod ein hadnoddau yn brinnach a'n rhif wedi crebachu. Sobrwyd ni pan ddaeth Achos olaf yr Annibynwyr ar y Glannau yn Woolton Road, Wavertree, Lerpwl i ben ar 1af Awst 2009. Diflannodd tri enwad Anghydffurfiol Cymraeg o'n gafael, y Bedyddwyr Cymraeg, yr Annibynwyr Cymraeg a'r Eglwys Fethodistaidd. Deil yr Eglwys Anglicanaidd Cymraeg yn ein plith yn Lerpwl tra y bydd y Parchedig Geoffrey Davies i ofalu amdanynt, un arall a fu yn barod i'n cynorthwyo.

Collasom aelod arall ym mis Gorffennaf 2009, sef Mr Elwyn Hughes, Aughton. Bu yn flaenor yn y dyddiau gynt yng nghapel Rhuddlan yn Henaduriaeth Dyffryn Clwyd a hyfryd oedd clywed ei lais melodaidd pan ddeuai yn ei dro i'r oedfaon.

Cymerwyd 'Llais yr Eglwys' ynglŷn ag ethol blaenoriaid ym mis Tachwedd 2009 ond ni chafwyd atebiad cadarnhaol, a bydd yn rhaid ail godi'r mater yn y dyfodol agos. Disgwylia Eglwys Bresbyteraidd Cymru fod dau flaenor yn perthyn i bob capel. Bodlonodd Mrs Elin Bryn Boyd fod yn ymddiriedolwr ac y mae hyn yn cyflawni y gofynion Cyfundebol. Daw cyfle i ail ystyried yn hydref 2015.

Ar ddechrau'r flwyddyn 2013 mae ym Methania, Waterloo, 20 o aelodau yn cynnwys un blaenor, John P. Lyons. O'r rhain daw deg yn gyson i'r oedfaon a gallwn ychwanegu 'Cyfaill yr Achos', Mrs Phyllis Weaver, sydd â chysylltiadau o'i phlentyndod â'r eglwys Gymraeg yn Waterloo ac sydd yn ffyddlon iawn er yn byw yn Ainsdale ger Southport.

Mae hynt a helynt yr Eglwys wedi ei gofnodi yn yr Adroddiadau Blynyddol ac yn nhudalennau'r *Ddolen* sydd wedi ei gyhoeddi yn ddifwlch er dros hanner can mlynedd. Yn anffortunus mae ychydig o'r Adroddiadau a llawer o rifynnau'r *Ddolen* wedi eu colli, a thrwy hynny yn ein hamddifadu o'r stori gyflawn.

Ni fedrai ein bywyd eglwysig fod wedi parhau cystal heblaw am ewyllys da Rheithor y Plwyf, y Parchedig Gregor Cuff a'i wardeiniaid Derek McLoughlin a Jim Burston. Maent mor ofalus ohonom. Bydd aelodau Christ Church yn ein croesawu gyda gwên a 'bore da'. Pan oedd ein haelod methiannus, Miss Glenys Jones yn gallu dod i'r oedfaon edrychent ar ei hol yn dyner. Gwelwn golli Glenys. Y mae yn ein gweddïau a'n meddwlgarwch.

Pennod 16

Gweinidog ac Aelodau Bethania yn 2017/18

AR DDECHRAU'R FLWYDDYN 2012 rhifwyd 23 o aelodau a dau Gyfaill yr Achos ar lyfrau Eglwys Bethania wedi colledion o dri aelod ffyddlon yn y flwyddyn flaenorol, sef Miss Heulwen Lewis, Mrs Gwen Roberts a Mr Glyn Roberts. Daeth yr alwad i Mrs Gwen Roberts ein aelod hynaf pan oedd yn ei 101 blwydd.

Y Parchedig Dr D. Ben Rees ydyw Gweinidog Emeritws yr Eglwys sydd â gofalaeth yn ein cynnwys ni a Bethel, Heathfield Road. Mae Dr Rees wedi rhoddi gwasanaeth clodwiw i'r eglwys Bresbyteraidd, i'r Gymdeithas Gymreig, i Brifysgol Lerpwl, Prifysgol Cymru, y Brifysgol Agored ac ers deg mlynedd yn athro ym Mhrifysgol North-Western yn Ne Affrig, un o Brifysgolion pwysica'r wlad fawr honno. Bu yn affaeliad mawr i Ddinas Lerpwl yn gyffredinol ers ei ddyfodiad o Gwm Cynon yn 1968. Ef a ysbrydolodd y Parch. Idwal Jones i ddod i Benbedw ac ef a threfnodd i'r Parchedig R. E. Hughes ddod i ofalaeth y Glannau i fugeilio eglwysi Waterloo, Stanley Road a Phenbedw; trefniant a fu yn werthfawr i'r Gweinidog ac i'r eglwysi i gyd. Bu yn flaenllaw yn llunio ac arwain y 'Cwrs Byr' i hyrwyddo lleygwyr i ymgymryd â gwasanaethau yn Lerpwl a thu hwnt i'r ffiniau. Yntau oedd yn bennaf gyfrifol am y cynllun i gael caplaniaid i'r Glannau, i roddi strwythur i Ceclac, sef Cyngor Eglwysi Cymraeg Lerpwl a'r cyffiniau, a sefydlu Ymddiredolaeth Gogledd Ddwyrain yr India-Cymru, a chyflawni yr holl ymchwil, y llafur cariad, ar y cenhadon yn yr India o Gymru. Ef bellach yw'r awdurdod pennaf ar y saga a'r holl genhadon dewr a fu yn addurn i'r Deyrnas ym mhellafaoedd India a Bangladesh. Yr oedd ei gonsarn am gleifion yn bell o Gymru yn Ysbytai niferus y Glannau yn wybyddus i bawb gan iddo fod yn Gaplan Ysbyty Frenhinol Lerpwl dros yr eglwysi Rhyddion am bymtheg mlynedd a bu yn ladmerydd i Gaplaniaeth y Glannau.

Y caplan cyntaf oedd Mr John Sam Jones, Abermaw, yna daeth Dafydd Rees am dymor byr yn syth o Brifysgol Rhydychen ac yna apwyntiwyd tair merch, sef Ms Rachel Gooding, y Barchedig Eleri Edwards a'r Barchedig Nan Powell Davies. Gwnaethant dymor da o waith gyda'r henoed, y cleifion, a'r Cymry yng ngharchardai'r Ddinas: rhoesant hefyd eu gwasanaeth ym mhulpudau'r eglwysi. Mae Dr Rees yn arweinydd ym mhob maes y mae'n ymddiddori ynddi ac yn dod â chlod mawr i Gymry'r ddinas. Rhy faith yw cynnwys ei holl orchestion yn y gyfrol hon. Yn ordeiniedig ers hanner can mlynedd ac yn was da i Iesu Grist gan roddi blaenoriaeth i'w Arglwydd bob amser. Gwyddom ei fod yn hollol ddibynadwy a byth yn esgeuluso ei waith bugeiliol. Mae wedi cyhoeddi cyfrolau o hanes eglwysi Lerpwl a'r cylch a bydd eisiau clamp o lyfr i grynhoi taith ein gweinidog arbennig a ddaeth ac a arhosodd er y cyfleoedd i symud i feysydd llawer ysgafnach eu gofynion. Caiff gefnogaeth wych gan ei briod, Mrs Meinwen Rees, un a fu'n athrawes ddylanwadol yn Ysgol Uwchradd yr Anglicaniaid yn Grove Street, Lodge Lane a Paddington – ardal anfreintiedig ac anodd Liverpool 8. Daw Mrs Rees atom yn gyson i Fethania pan fydd ei phriod yn gwasanaethu, a chyfranna i'r moliant gyda'i llais alto soniarus. Diolch iddi am warchod y Mans dros y blynyddoedd.

Yn sydyn iawn ar 13 Ionawr 2012 bu farw Mr Richard Elwyn Jones, Gloucester Road, Bootle, yn Ysbyty Fazakerley ym mhresenoldeb ei deulu a'i Weinidog, y Parchedig D. Ben Rees. Daeth Wyn, fel yr adnabyddid ef gan bawb, yn aelod i Fethania pan gaewyd Eglwys y Bedyddwyr yn Balliol Road, Bootle. Gŵr hynod o hoffus a gweithgar yng ngwasanaeth ei Arglwydd ac ef oedd 'porthor' Bethania hyd at ei farwolaeth. Defnyddiai ei fodur i gludo, nid yn unig aelodau Bethania, ond pawb, i unrhyw gyfarfod eglwysig lleol neu bell ac aeth â nifer o wragedd y Glannau i'r Sasiwn Genhadol yn Llangefni ychydig wythnosau cyn ei farwolaeth. Er bod ei Gymraeg yn fratiog mynychai pob cyfarfod y medrai. Teithio, trenau a'r Eglwys Gymraeg oedd ei fywyd syml, cyfoethog a diwylliedig.

Arweinydd ac ysgrifennydd yr Eglwys yw'r blaenor John P. Lyons. Cafodd ei eni yn Llundain a'i fagu fel ifaciwi ym Môn gan fynychu yr Eglwys yng Nghymru a dechreuodd ei aelodaeth â'r Eglwys Bresbyteraidd pan briododd â Marian yn 1958 yng nghapel Bethphage, Llaingoch, Caergybi – lle'r oedd ei thad a'i thaid yn flaenoriaid. Daeth ef a Marian a'r plant – Susan, Helen

a Mark – yn aelodau yn Stanley Road, Bootle, yn 1966 ar symudiad John o Heddlu Gwynedd yng Nghaernarfon i Heddlu Bootle. Ordeiniwyd ef yn flaenor yn 1973 ac ymhen ychydig daeth yn Ysgrifennydd Eglwys Stanley Road, Bootle. (Dywed y Gweinidog: "Y mae ein dyled i John a Marian yn enfawr, a chroesawa ef bawb ohonom yn llawenydd yr Efengyl. Boed bendith a iechyd i'r ddau am flynyddoedd lawer i ddod. Balch oeddwn o fod yn bresennol ar nos Fercher, 10 Ebrill 2013, yng Nghapel y Groes, Wrecsam, yn clywed Llywydd Sasiwn y Gogledd yn ei longyfarch am 40 mlynedd fel blaenor yn y Cyfundeb ac yng Ngogledd Lepwl. Trefnir Cyfarfod i ddathlu y gamp yn yr Hydref a braf fydd croesawu y gyfrol yr un noson."). Mae wedi cynrychioli Henaduriaeth Lerpwl yn llysoedd y Cyfundeb ac ef yw Lywydd Henaduriaeth y Gogledd Ddwyrain am 2013. Mae Marian yn gefnogol iddo ac i holl waith yr Eglwys ac yn gofalu am Fwrdd y Cymun yn fisol.

Trysorydd yr Eglwys yw Mrs Elinor Bryn Boyd; gyda help ei gŵr James (Jim). Cafodd Elin ei magu yng Nghapel Stanley Road a dod gyda'i diweddar rieni John a Margaret (Peggy) i Fethania. Mae Elin yn rhan o deulu diwylliedig Dr Kate Roberts ac roedd ei diweddar fodryb Miss Eirian Roberts yn dal gyda'r cysylltiadau yn Rhosgadfan. Mae yn drydedd genhedlaeth o Gymry Lerpwl ac yn rhugl yn y Gymraeg. Hwy oedd y cwpwl olaf i briodi yng nghapel Waterloo. Er nad ydyw Jim yn deall yr iaith daw yn gyson i'r gwasanaethau a'r astudiaethau Beiblaidd ac ef sydd yn edrych i groesawu'r gynulleidfa ac i drefnu ar gyfer yr addoliad. Pleser yw clywed Elin yn canu ac yn darllen Cymraeg yn gyhoeddus, ac mae'r didwylledd yn dod drwy ei phersonoliaeth bob amser.

Mrs Nan Lewis ydyw organydd yr eglwys, ac wedi gwneud y gwaith mewn amryw o eglwysi yn ystod ei gyrfa o dros saith deg o flynyddoedd. Mae dros ei naw deg oed bellach a byth yn methu oedfa na chyfle i gymdeithasu! Hi ydyw dosbarthydd *Yr Angor*, ein papur bro ac mae'n gefnogol iawn i Gymdeithas Cymry Lerpwl. Un o wir Gymry Lerpwl ac yn rhugl yn y Gymraeg. Bu yn aelod yn eglwysi Walton Park a Stanley Road cyn yr uniad ym Methania. Bu'r bartneriaeth rhwng Bob ei gŵr a hithau yn arwain Caniadaeth y Cysegr ac yn ymweld â'r cleifion yn hanfodol i'r bywyd a'r Achos Gymraeg. Dyma un o ragorolion y ddaear.

Fel merch Tŷ Capel Waterloo mae Mrs Menna Caton wedi ei thrwytho yng ngwybodaeth am yr Eglwys. Cofiai fel roedd rhaid bod ar ei hymddyg-iad gorau fel teulu Tŷ Capel. Daeth Mr a Mrs Gwilym Evans o Gymru yn

1963/64 gyda Menna, Mair ac Arthur Wyn i'r tŷ goruwch yr Ysgoldy yn 2A Sandringham Road. Gofalwyr cydwybodol oeddynt yn mynnu bod yr holl ddyletswyddau yn cael eu gwneud i'r safonau uchaf. Roedd y gydnabyddiaeth yn £120 y flwyddyn ynghyd â thenantiaeth y tŷ. Cafodd Mr Gwilym Evans ei ordeinio'n flaenor yn Nhachwedd 1967, a bu'n gwbl ymroddedig i waith y Deyrnas. Diolchwn am ei stiwardiaeth ddoeth.

Gyda 274 aelodau a 52 o blant yn cael eu harwain gan y Parchedig Maurice Williams roedd y gweithgareddau yn ddiddiwedd ac nid ar chwarae bach oedd cadw pawb yn ddiddig. Rhaid oedd gwresogi'r adeilad drwy danio'r boiler glo; dystio'r seddau bob bore Sul a glanhau'r *brasses*, trefnu'r blodau ac agor y drysau hanner awr cyn y gwasanaeth. Hwy oedd yn gyfrifol am Fwrdd y Cymun a'i thad a dorrai'r bara i'r union faint – a'r plant yn cael bwyta'r crystiau! Wedi'r gwasanaeth deuai Mrs Evans â photied o de a bisgedi i'r Festri ar gyfer y cennad – y llestri gorau wedi eu trefnu'n ddestlus. Wedi i'r plant ddod i oedran cymwys cawsant y fraint o gyflawni'r dyletswyddau gyda rhestr a siars i wneud pob peth yn gyflawn.

Priododd Menna gyda Peter Caton yn y capel – yn wir yno, yn yr Ysgoldy, y gofynnodd Peter i Mr Evans am law ei ferch. Hyd y gwasanaeth olaf yn y capel eisteddai Menna yn sêt y teulu gerllaw'r drws yn arwain i'r festri ar gyfer sleifio allan ar ddiwedd yr oedfa i wneud y te neu unrhyw alwad arall. Deuai ei mam o Fae Colwyn yn rheolaidd ac eistedd yn yr hen sedd deuluol. Hiraethai nad oedd y *brasses* a'r glendid fel yr oedd yn y dyddiau a fu.

Daeth Mrs Menna Edwards gydag Alun ei gŵr a Jennifer a Lewis eu plant i Waterloo o Rhyl yn 1972. Dewiswyd Alun yn flaenor yn 1976 a daeth i fod yn drysorydd yr Eglwys. Roeddynt yn flaenllaw yng ngweithgareddau'r eglwys a chynhaliwyd pwyllgorau pwysig yn eu cartref yn Channel Reach ynglŷn ag uno eglwysi Waterloo a Stanley Road. Ergyd aruthrol oedd marwolaeth Lewis ar 16 Ebrill 1985 ac yntau ond yn ugain oed ac yn efrydydd yng ngholeg Caeredin. Roedd yn fachgen poblogaidd a disglaer iawn. Bu'r angladd yng ngofal y Parchedig Dr D. Ben Rees yng nghapel Bethania gyda llu o gyd-fyfyrwyr Lewis a chyfeillion y teulu. Cyhoeddodd Menna ac Alun glasur o lyfr o waith Lewis o'i fachgendod hyd ei ddyddiau olaf *Symbols of Resurrection* sydd yn dysteb iddo ef a'i deulu. Mae Jennifer yn dal i fyw yn yr ardal gyda'i merched talentog, Bethan a Meriel, a hwy oedd y plant olaf i gael eu bedyddio yng nghapel Waterloo. Mae Menna

ym mysg y ffyddlonaf ac yn gefnogol er yn dal i herio pethau sydd heb fod yn 'iawn', a balch ydym o weld Jennifer yn dod atom ar adegau.

Erbyn hyn Mr Alun Evans sydd â'r cysylltiad hiraf gyda'r Achos yn Waterloo. Un o deulu'r Evans' enwog 'Cwm Eithin' ydyw ac mae yn gwybod hanes pawb a phob peth yn ymwneud â Chymry'r Glannau drwy ei berthynas a'i gysylltiad â chwmni 'Hugh Evans a'i Feibion, Bootle' a chwmniau argraffu eraill. Dywed fel yr oedd y busnes yn cael ei ddefnyddio gan gapelydd o bob enwad yn y fro ac yng Nghymru – yn aml iawn ar golled i'r cwmni. Bu'r teulu yn gyfrifol am y ddwy gyfrol *Camau'r Cysegr*, sef hanes Eglwysi Miller's Bridge a Stanley Road, Bootle. Priododd Alun gyda Kitty wedi ei chyfarfod yn yr ysgol pan oedd yn llochesu gyda'i deulu yn y Bala adeg y Rhyfel. Ar 18fed Rhagfyr 2012, ychydig ddyddiau wedi iddynt ddathlu eu priodas ddiamwnt, bu farw Mrs Evans wedi caethiwed hir. Hyfryd bob amser yw cael cwmni Alun a'i sylwadau ffraeth – fe ddylai ysgrifennu ei atgofion er budd y dyfodol.

At ychydig fisoedd yn ôl Miss Glenys Jones, Stoneycroft, oedd y ffyddlonaf yn y gynulleidfa. Ganwyd hi yn Anfield a bu yn aelod yn eglwys Douglas Road hyd iddo gau pan symudodd carfan o'r aelodaeth i Stanley Road ac yna ymlaen i Fethania. Mae yn adnabyddus i bawb trwy ei ffyddlondeb i'r pethau ac y mae ei Chymraeg yn loyw. Ei brawd oedd Mr Gwyn Jones oedd yn dal swyddi uchel ym myd y papurau dyddiol, a bu yn olygydd *Y Cymro*. Ni fu bywyd yn hawdd iddi drwy ei anabledd ond dangosodd wroldeb a sirioldeb er gwaethaf pob peth. Rydym yn ei cholli o'r gynulleidfa ac y mae aelodau Eglwys Saesneg Christ Church yn holi amdani yn gyson am y byddai yn ymuno yn eu hoedfaon wrth ddyfod yn brydlon i'n gwasanaeth boreol.

Mae Mrs Pam McNamara yn gyson iawn yn yr oedfaon a gwyddom ei bod gyda ni oherwydd ei harweiniad yng nghaniadaeth y cysegr. Mae ei Chymraeg yn groyw ac y mae yn hoff ac yn abl i ddarllen o'r Ysgrythur a ledio emyn pan fydd angen. Mae gan Pam *scrap book* o'i llwyddiannau yn Eisteddfod Gŵyl Ddewi Plant Bootle fel plentyn ifanc iawn yn canu ac adrodd, a hynny yn yr iaith Gymraeg. Cafodd ei magu gan ei mam Mrs Bet Williams wedi iddynt golli ei thad Mr Evan Williams a oedd yn arweinydd corau pan oedd y plant yn ifainc iawn. Stanley Road, Bootle, oedd y cartref ysbrydol ac y mae ganddi ffydd gref yn yr Arglwydd Iesu Grist. Yno hefyd y magwyd ei brawd, y Parchedig David Williams, sydd yn Gaplan yn Ysbyty'r Plant, Alder Hey. Mae David yn arwain yn achlysurol eglwys Bethania mewn gwasanaethau ac mewn astudiaeth Feiblaidd. Teulu

arbennig iawn gyda chysylltiad teuluol yn ardal Corris ac Abergynolwyn. Mae Tom, gŵr Pam, yn gefnogol ac yn cymdeithasu â'r aelodau.

Ymaelododd Miss Margaret Rowlands a'i mam yn eglwys Waterloo yn 1955 pan ddaethant o Flaenau Ffestiniog at ei chwaer Ellen a'i modryb a oedd eisoes yn byw yn Waterloo. Mae Margaret yn gefnogol i'n holl weithgareddau ym Methania. Yn rhifyn *Y Ddolen* am Chwefror 1955 nodwyd:

> Yn Seiat olaf y flwyddyn derbyniwyd Miss Ellen Rowlands yn gyflawn aelod. Gadawodd ei chartref ym Mlaenau Ffestiniog cyn cael ei derbyn yn yr Eglwys yno. Mae'n dilyn ei galwedigaeth yn y cylch ac yn aros gyda Mrs Wilkinson yn Curzon Road. Mae'n dda gennym glywed fod ei chwaer – Miss Joan Rowlands wedi cyrraedd adref o Singapore. Ac yn *Ddolen* mis Mawrth: 'Estynnwn groeso cynnes i aelodau newyddion a ddaethant atom o Eglwys Garreg Ddu, Blaenau Ffestiniog, sef Mrs Catherine Morris, 30 Curzon Road, a Mrs Elizabeth Rowlands a Miss Margaret Rowlands, 27 Curzon Road. Mam Mrs Wilkinson a Miss Rowlands ydyw Mrs Morris'.

Un o'r siriolaf ydyw Miss Dorothy Williams, Blundellsands, ac yn gwerthfawrogi pob cysylltiad â'r bywyd Cymraeg ac ysbrydolrwydd awyrgylch Bethania. Roedd hi a'i chwaer Mrs Gwen Roberts yn bresennol ym mhob oedfa hyd i nerth ac iechyd Gwen lesgàu; y ddwy wedi eu geni a'u magu ym mysg Cymry Anfield ac yn aelodau yng nghapel Douglas Road. Hoffent sôn gyda'u cyfoedion, sydd wedi mynd yn brin iawn erbyn hyn, am y blynyddoedd diwylliedig a hapus a fu. Gwerthfawroga Miss Dorothy Williams weinidogaeth y Sul ac yn arbennig pregethu beiblaidd o argyhoeddiad. Un o halen y ddaear ydyw.

Er mai fel 'Cyfaill yr Achos' yr ymddengys Mrs Phyllis Weaver, Ainsdale, yn yr Adroddiadau Blynyddol, mae ei chysylltiad â Waterloo yn hir a ffyddlon. Roedd y teulu Owen, Kershaw Avenue, yn golofnau'r Achos a chafodd Phyllis, Marion a Trefor eu bedyddio a'u magu yn awyrgylch y capel. Y Parch. Stephen Davies oedd y gweinidog yn y dyddiau cynnar a rhaid oedd mynd i oedfa'r bore – gan ddysgu a dweud adnod o flaen y gynulleidfa bob Sul. Mynychant yr Ysgol Sul ac mae atgofion melys o fynd â blodau i'r capel ac yna mynd â hwy i'r aelodau nad oeddynt yn gallu dod i'r oedfaon ar Sul y Blodau ac hefyd wedi penwythnos Diolchgarwch am

y Cynhaeaf. Roedd parti Nadolig i'r plant yn un o uchel bwyntiau'r flwyddyn ac yn cael ei drefnu gan wragedd yr eglwys gydag ymweliad Siôn Corn a'i anrhegion. Yn hwyrach daeth y Parchedig Maurice Williams i sbarduno'r bobol ifanc i gymryd rhan a chydweithio mewn cyngherddau a chystadlu yn yr eisteddfodau. Priodwyd Phyllis a David yn Eglwys Waterloo yn 1965 a daeth yn aelod o eglwys Saesneg yn Ainsdale. Mae ganddi dair o ferched a chawsant i gyd eu bedyddio yn Waterloo. Mae Phyllis wedi dal yn ffyddlon i'w gwreiddiau ac yn dod yn gyson o Ainsdale i'r oedfaon gan gyrchu aelodau yn ei char. Anodd ei disgrifio fel Aelod Cysylltiol a hithau wedi bod yn rhan o'r aelodaeth yn ysbrydol ac ymarferol gydol ei hoes.

Cofiwn y dyner am Miss Catherine (Kitty) Roberts sydd mewn cartref yn Anfield. Yn Gristion o argyhoeddiad gydol ei hoes ac yn hoffi sôn am y Bankhall Mission lle y bu hi a'i brawd John yn aelodau, fel y bu llawer o gyn aelodau Stanley Road. Hi oedd ysgrifenyddes Bethania i Genhadaeth Dramor y Chwiorydd a gweithiai yn ddistaw yn y cefndir. Un o Gymry Lerpwl ydyw o ran ei chefndir a bu fyw yn ardal Walton am gyfnod hir.

Mrs Gwenda Dunn ydyw'r olaf yn llinach ein diweddar flaenor Mr Alun Roberts a theulu'r Lewis's. Cafodd ei bedyddio a'i magu yng nghapel Waterloo lle bu hi a'r holl deulu yn cyfranogi yn hael ym mhob ystyr o'r gair gydol eu hoes. Ei thad Alun oedd ysgrifennydd Waterloo am flynyddoedd a cyn hynny yn flaenor ac arweinydd yn Douglas Road. Roedd ei mam, Mrs Gwyneth Roberts, o deulu'r Lewisiaid a fu yn hynod weithgar braidd o ddechreuad yr Achos yn Waterloo ac felly hefyd ei modryb Miss Heulwen Lewis. Bu Gwenda yn ofalus iawn o'i theulu gan wneud ei gorau iddynt gyda chymorth ei ffrind ar hyd y blynyddoedd, y Barchedig Peggy Quayle.

Mr Gordon Short ydyw un o gefnogwyr haelionaf yr Achos ym Methania. Nid yn aml y gwelwn ef yn y gynulleidfa ond y mae ei ymrwymiad i'r capelydd Cymraeg wedi bod yn gyson drwy'r blynyddoedd. Ymaelododd yn Eglwys Garston a symud ei aelodaeth ef a'i ddiweddar annwyl Olive i Waterloo. Un o nifer o fferyllwyr Cymraeg i sefydlu busnesau ar y Glannau ac y mae'r siop yn dal ymlaen o dan ofal ei fab Geraint yn College Road. Yn adnabyddus yn y fro fel cymwynaswr rhadlon cafodd gryn sylw yn y *Crosby Herald* ar ddathlu ei ben blwydd yn naw deg oed.

Wrth gyflwyno Mrs Ellen Hughes, Aughton, cofiwn am ei diweddar gymar Elwyn gyda'i lais melodaidd. Daethai ef i'r oedfaon yn achlysurol a gwyddom

ei fod yn y gynulleidfa oherwydd caniadaeth yr emynau. Mae Ellen yn dal i gefnogi'r Eglwys ac yn gwerthfawrogi ei pherthynas â'r Achos, a'r modd y cynhaliodd ein Gweinidog arwyl ei phriod yn Amlosgfa Southport. Yn rhugl ei Chymraeg braf bob amser ydyw cael ei chwmni, hi a'r ferch yn ein plith.

Mae ein haelod Glyn Thomas wedi cilio i'r gorwelion ers rhai blynyddoedd wedi iddo roddi o'i allu a'i amser i weithgareddau'r eglwys yn Stanley Road. Cyflogid ef gan gwmni Hugh Evans fel argraffydd a gofalai am ychwanegu enw'r eglwys mewn geiriau aur ar glawr llyfrau newydd a gyhoeddwyd o bryd i'w gilydd. Roedd ganddo ddoniau ymarferol amrywiol a roddai at wasanaeth yr eglwys a'r aelodau.

Ymaelododd Mr Gwyndaf Williams a'i wraig June yn eglwys Waterloo yn 1968 pan ddaethant o Aberystwyth i fyw ym Maghull wrth ddilyn ei waith gyda chwmni Manweb. Mae yn aelod o gôr meibion Aughton. Symudodd y teulu i fyw yn Ainsdale, Southport, ac y maent yn cyfrannu'n rheolaidd i'r Achos ac yn groesawus dros ben yn eu cartref.

Er ei bod yn dal ar lyfrau'r Eglwys nid ydyw Miss Megan Williams, Mersey Road, yn gallu mynychu'r oedfaon erbyn hyn oherwydd cyflwr ei hiechyd. Daeth atom i Fethania oherwydd ei hymlyniad a'i diddordeb yn y 'pethau Cymraeg' gan fwynhau'r awyrgylch unigryw ysbrydol. Cyfyngwyd ei bywyd gan anhwylder iechyd wedi iddi fod yn athrawes ddylanwadol yn y Clasuron yn Ysgol y Merched Merchant Taylors, Crosby. Roedd ei meistrolaeth ar ieithoedd yn ei galluogi i ddilyn ein gweithgareddau ac yn hynod hoff o'r emynau Cymraeg.

Ni fedrwn ddiweddu ein cysylltiadau aelodaeth heb sôn am Mr David Evans, Southport, a ddaw atom yn rheolaidd ar achlysuron i gofio ei rieni, Cecil a Gwyneth Evans. Ymddeolodd i edrych ar ôl ei fam, oedd yn gaeth i'w gwely am amser maith. Mae yn gwneud gwaith gwirfoddol cymdeithasol yn ei gymuned yn Southport ac yn cefnogi'r bywyd Cymraeg ar y Glannau.

Yn Eglwys Crist (Christ Church) yr Eglwys Anglicanaidd sydd gyferbyn â chapel Waterloo y cartrefwn a chynhaliwn ein gwasanaethau a'n gweithgareddau. Yno mae croeso twymgalon i ni'r Cymry. Cawn ein gwahodd i'w dathliadau a'n cyfarch yn rheolaidd gyda 'Bore Da' gan y gweinidog a'r aelodau. Dysgodd y Parchedig Gregor Cuff y fendith Gymraeg a'i thraethu i ni wrth iddo weinyddu Sacrament y Cymun yn y Suliau arbennig ar ddechrau'r flwydyn.

Erbyn hyn mae Bethania yn gangen Gogledd Dinas Lerpwl o Eglwys Bresbyteraidd Cymru sydd â'i chanolfan ym Methel, Heathfield Road. Mae cydweithio ardderchog rhwng y ddwy Eglwys yng ngwaith y Deyrnas ac er budd y gymuned Gymraeg sydd, er yn heneiddio, yn brwydro'n fuddugoliaethus i gadw'r traddodiad Ymneilltuol yn fyw yn ninas Lerpwl mewn canrif newydd.

Yn y pum mlynedd ers y cyhoeddiad cyntaf deil Eglwys Bethania i addoli yn Eglwys Christ dan ofal ein gweinidog y Parchedig Dr D. Ben Rees sydd eto erbyn hyn wedi cyhoeddi amryw o lyfrau yn cynnwys ei hunangofiant; 'Di Ben Draw' a hanes sefydlu'r Ysbyty Cenhadol yn Shillong yng Ngogledd Ddwyrain India. Aeth Mrs Nan Lewis, Litherland i'w haeddiant a distawyd yr organ ar ol cyfnod helaeth, ond bodlonodd priod ein Gweinidog, Mrs Meinwen Rees ein cynorthwyo ar Suliau'r Gweinidog. Rhoddwyd llwch yr annwyl Nan Lewis yng ngardd Christ Church yn arwydd o gymdogaeth dda yr Eglwys Anglicanaidd a ni. Daeth taith Mr Alun Evans, Crosby i ben ond daeth ei ferch Susan yn aelod ac felly cario'r ymrwymiad y teulu sef teulu Gwasg y Brython ymlaen i'r bedwaredd genhedlaeth yn hanes yr achos. Ymaelododd hefyd Mrs Phyllis Weaver, Birkdale hithau wedi ei bedyddio a'i derbyn a phriodi a bedyddio ei phlant yng nghapel Waterloo. Bu farw Miss Glenys Jones, Old Swan wedi brwydro anabledd gydol ei hoes a chadw ei ffyddlondeb i'r eithaf a chofio amdanom yn ei ewyllys. Ychydig wythnosau wedi dathlu ei chanfed blwydd gyda gwasanaeth y cymun a pharti yn yr Eglwys bu farw Miss Dorothy Williams gyda'i sirioldeb a diolchgarwch yn parhau hyd y diwedd. Bu farw Miss Kitty Roberts yn y cartref yn Anfield yn gadarn ei ffydd ac wedi trefnu i roddi ei holl eiddo i'n chwaer eglwys Bethel. Gwyddai nad oedd dyfodol hir dymor i Bethania a dymunai i'w heiddo barhau i wneud gwaith yr Iesu. Gadawodd Mr Gordon Short a ni wedi bod yn gefnogwr hael am flynyddoedd. Aeth y foneddiges Miss Megan Williams i'w haeddiant ac aethom a'i llwch i fedd ei rhieni yn Bedford.

Mae Capel hardd Waterloo wedi ei ddatblygu'n 'apartments' er na fuasech yn gwybod hynny wrth edrych oddiallan ar yr adeilad. Mae wedi ei addasu a'i lanhau ac yn edrych fel pe buasai newydd ei adeiladu. Felly mae Capel Stanley Road, Bootle a Chapel Waterloo yn feini cof amlwg i grefydd, presenoldeb a gwaith Cymry'r Glannau. Tybed a gawn blac yn cyhoeddi hyn ar Waterloo?

ATODIAD I

Byr-Hanes o Gychwyniad Eglwys M.C. Waterloo

gan y Parchedig William Henry

YR OEDD YN DDA GENNYF ddeall fod ym mwriad ein Llyfrgellydd ffyddlon – Mr W. J. Matthews – grynhoi adroddiadau Eglwys Waterloo yn un llyfr, i'w gadw yn gyfleus i'r neb a deimlo awydd i fwrw golwg drosto. A buddiol iawn fyddai i'n haelodau sylwi ar y modd y mae Pen Mawr yr Eglwys yn arddel llafur cyson a distaw ei bobl ar hyd y blynyddoedd, ac yn ei goroni â llwyddiant cynhyddol.

Nid oes adroddiad argraffedig ar gael o'r blynyddoedd cyntaf. A gellir ychwanegu nad oedd modd i'r adroddiadau a argraffwyd roddi mynegiad llawn o waith yr Eglwys am yr adeg dan sylw. Eto teimlwn eu bod yn frith o ffeithiau tra dyddorol.

Gyda golwg ar gychwyniad yr achos, nis gellir gwneud yn well na difynnu o nodiadau a wnaed gan y diweddar Mr W. J. Hughes ac a ddefnyddiwyd ganddo yn y Cyfarfod Misol a gynhaliwyd yn y lle tua 1900:

> "Dechreuwyd yr achos Cymreig yn Waterloo trwy i dri o Gymry ddyfod ynghyd i ddarllen Gair Duw, ar anogaeth Mr Owen Williams, yr hwn ar y pryd oedd yn byw yn y gymdogaeth. Y Sabboth, Mai 9, 1867, oedd y diwrnod; y lle, Vestry yr Anibynwyr Seisnig; a'r personnau – Mr W. Davies, Berry Street, Liverpool; a dwy chwaer grefyddol yng ngwasanaeth Mrs Williams a Mrs Davies. Yr oedd Mr Davies ar ymweliad â Waterloo er lles iechyd un o'r plant, ac y mae'n bosibl nad oedd yn meddwl sefydlu Ysgol Sabbothol Gymreig yn yr ardal, ond yr oedd Duw yn bwriadu i'r tri oedd wedi

ymgynnull yn Ei Enw y prydnawn hwnnw, gychwyn symudiad fuasai yn y dyfodol yn foddion i iachau llesgedd ysbrydol, a chadw yn fyw bobl lawer.

Yn raddol, ymunodd amryw ereill â'r dosbarth, ac yn ystod gauaf 1868 traddodwyd yn yr un ystafell y bregeth Gymraeg gyntaf, gan y diweddar Barch. John Davies, Nerquis, ar y geiriau yn Nehemiah III, 5: "*Ond eu gwŷr mawr ni osodasant eu gwddf yng ngwasanaeth eu Harglwydd.*" Am y deuddeng mlynedd dilynol, bu yr arch yn symud o ystafell i ystafell ar ysgwyddau y diweddar Mrs Owen Williams, a'r diweddar Mri Ed. Peters, Morris J. Parry, Robt Jones, W. Parry (Bootle), Elias Morris (sydd yn awr yn swyddog yn Stanley Road), ac amryw ereill oedd a'u hysbryd yn y gwaith.

Nos Fercher, Tach. 26, 1879. cynhaliwyd Cyfarfod o aelodau eglwysig yn dwyn cysylltiad â'r achos yn yr Ystafell Genhadol, Dean Street. Yr oedd yn bresennol 23, o ba nifer meddai 18 docynau aelodaeth o eglwysi ereill. Yr oedd yn bresennol dros y Cyfarfod Misol, y Parch. Owen Owens a Mr John Lewis, Hope Street, ynghyd â'r Parch. G. Ellis, MA, a'r Mri. David Jones, David Lloyd, William Jones (Caradoc Park), Owen Williams, Ed. Owens a Wm. Jones (St Albans Road), Bootle. Cyhoeddodd y Parch. Owen Owens fod yr aelodau cyflawn y ddarllennwyd eu papurau o eglwysi ereill yn cyfansoddi Eglwys y Methodistiaid Calfinaidd yn Waterloo.

Prydnawn Sabboth, Ion. 4, 1880, cafodd yr Eglwys ieuanc y Cymun cyntaf – y Parch. G. Ellis M.A., yn gweinyddu; a nos Wener, y 30ain o'r un mis, gweinyddwyd y Sacrament o Fedydd am y waith gyntaf gan yr un gwr parchedig.

Chwefror 18, 1880, dewisiwyd y blaenoriaid cyntaf, sef y Mri. Ed. Peters, Morris J. Parry, a W. J. Hughes. Y mae y tri erbyn hyn wedi myned i mewn i lawenydd eu Harglwydd i dderbyn gwobr y gweision da a ffyddlawn. Bu ymroddiad a gofal y brodyr hyn o werth dirfawr i'r Eglwys. Gellir tystio mae rhai "*ffyddlawn yn yr holl dŷ*" oeddent hwy, a hynny *hyd angau*. Yn y cyfarfodydd wythnosol – yn arbennig y seiat – am flynyddoedd, bu y diweddar Mri. M. J. Parry a W. J. Hughes yn arwain y praidd i "borfa fras" yr Efengyl gyda llwyddiant mawr. Cawsant hefyd gynorthwy y Parch. E. J.

Evans ac ereill yn achlysurol. Ac o fis Mai 1889 hyd dechrau 1891, bu y Parch. J. Pugh, B.A., yn cartrefu yma. A chofir gyda hyfrydwch am ei wasanaeth gwerthfawr yntau i'r achos yn ystod yr adeg hon. Bu efe farw Ionawr 3ydd, 1891. Ar 31ain o Hydref, 1882, sef tair blynedd ar ôl sefydlu yr Eglwys, cafodd y gynulleidfa a lliaws o'i charedigion y fraint o wrando ar y Parch. G. Ellis yn traddodi y bregeth gyntaf yn y capel newydd. Yr oedd y draul ynglŷn â'r capel yn £2,500. Erbyn tua chanol 1897, yr oedd y ddyled wedi ei chlirio, a rhoddodd yr eglwys alwad gref i'r Parch. W. Henry, Pontypridd, i ddyfod i'w bugeilio, â'r hon y cydsyniodd; a chynhaliwyd cyfarfod i'w groesawu Gorff. 6ed, 1897. Cymerwyd y gadair gan Mr W. J. Hughes. Ymusg ereill yr oedd yn bresennol y Proffeswr Edwin Williams B.A., Trefecca, a'r Cynghorydd H. S. Davies, Penarth (yn cynrychioli Cyfarfod Misol Dwyrain Morgannwg); Parch. J. Hughes M.A. a Mr J. Harrison Jones dros Gyfarfod Misol Lerpwl, Parchn. G. Ellis M.A., O. Owens, W. M. Jones, W. M. Williams, W. Owen, T. Evans, Mri D. Jones, J. Morris Y.H., T. O. Hughes, E. Owen, W. Jones, etc., etc. heblaw swyddogion ac aelodau yr Eglwys, a lliaws o gyfeillion o'r eglwysi cylchynol. Yn ychwanegol at y cynrychiolwyr o'r Dê a thros Gyfarfod Misol Lerpwl, anerchwyd y cyfarfod gan y bugail newydd, a chan y Parchg G. Ellis M.A., Owen Owens, a W. M. Williams; a therfynwyd y cyfarfod gan y Parch. W. Owen. Yn y flwyddyn 1898, gwariodd yr eglwys £1,560 mewn adeiladu ysgoldy, a glanhau, helaethu, ac adgyweirio y capel. Swm y ddyled yn awr (1900) yw tua £800. Y mae yn amlwg fod ffyddlondeb a hunanymwadiad nid bychan wedi bod i gyrhaedd y fath safle mewn amser mor fyr. Ac nid yw hynny wedi effeithio yn neweidiol ar y casgliadau arferol, ond yn hytrach fel arall.

A chymharu y Casgliad at y Weinidogaeth am y flwyddyn diweddaf a'r un am 1896, dengys gynnydd o yn agos 60 y cant. Y mae cynydd sylweddol hefyd yn ardreth yr eisteddleoedd.

I ddiweddu (meddai Mr Hughes) gwelir fod peirianwaith allanol yr achos yn agos a bod yn berffaith. Ac y mae yn ddyletswydd arnom i gydnabod yn wylaidd ac yn ddiolchgar y ceir arwyddion amlwg ar adegau fod Ysbryd y Peth byw yng nghanol yr olwynion."

Yr ydym yn sylwi fod tair blynedd a deugain (43) wedi mynd er pan ddechreuwyd cynnal Dosbarth i ddarllen y Beibl yn Gymraeg yn Waterloo (Mai 9fed 1867); ac yn agos i ddwy a deugain (42) er pan draddodwyd y bregeth Gymraeg gyntaf yn y lle yma gan y diweddar Barch. J. Davies, Nercwys (1868); ac un ar ddeg ar hugain (31) er pan ffurfiwyd yr Eglwys, yn yr ystafell yn Dean Street (1879); deg ar hugain er pan weinyddwyd y Sacramentau gyntaf yn yr Eglwys, a hefyd er pan ddewiswyd y blaenoriaid cyntaf (1880). Y mae wyth mlynedd ar hugain er pan agorwyd y capel, a deuddeg er pan helaethwyd ef y tro cyntaf. A gellir ychwanegu iddo gael ei helaethu yr ail dro, dair blynedd yn ôl (1907) pryd yr adeiladwyd hefyd yr Ysgoldy, a'r *Class Rooms*, y Llyfrgell, a Thŷ Capel, yr oll yn costio tua £2,500. A dyddorol yw gweled for rhai cannoedd o bunnau o'r swm hwn eto wedi eu talu.

Cyfeiriwyd eisioes at y tri cyntaf a ddewiswyd yn flaenoriaid, eu bod oll wedi eu symud oddi wrth eu llafur at eu gwobr. Ond gadawsant etifeddiaeth deg i'w holynwyr, a pherarogl hyfryd yn y gymdogaeth, yn dystiolaeth o wirionedd y geiriau, "Coffadwriaeth y cyfiawn sydd fendigedig"; ac yn gymhelliad i ninnau i fod yn ffyddlawn yn yr holl dŷ.

Yn 1885 gwnaed yr ail ddewisiad, pryd y galwyd y Mri Hugh Thomas, a William Jones, i'r swydd. Y mae un mlynedd ar bymtheg (16) er y trydydd ddewisiad (1894) sef y Mri D. Parry, O. G. Pritchard, Edward R. Jones, Walter E. Lloyd, a W. Griffith. Ac o'r brodyr da a ddewisiwyd y pryd hwnnnw nid oes yn awr yn aros yn ein plith ond Mr D. Parry. Wyth mlynedd yn ôl (1902) dewiswyd y Mri E. W. Jones a Joseph Pritchard. A dwy flynedd yn ôl (1908) dewiswyd tri ereill, sef y Mri Jonathan Jones, John Lloyd, a Hugh Roberts. Ac y mae y chwech a enwyd yn ymroddi i wasanaethu yr Eglwys ym mhob modd, ac yn cael arwyddion parhaus nad yw eu lafur yn ofer, tra y mae parch ac edmygedd yr Eglwys ohonynt yn cryfhau yn barhaus.

Tair blynedd ar ddeg yn ôl (1897) y galwyd y bugail. A theimla yntau fod cyd-weithrediad calonnog y swyddogion a'r holl aelodau, o dan fendith a gwenau Arglwydd y Winllan, wedi dwyn ffrwyth lawer, "Yr Arglwydd a wnaeth i ni bethau mawrion".

Yn nechrau 1905, cawsom brofi pethau nad adnabu'r byd, gydag ereill o'n cyd-genedl yn Liverpool a'r cyffiniau. A bydd rhai o'r cyfarfodydd gweddio a gawson yn aros yn eu dylanwad ar rai ohonom am byth, fel

adegau y gwelsom yr "Hwn sydd yng nghanol saith canhwyllbren" ac y teimlasom yn gyffelyb i'r hwn a'i clywodd yn dywedyd, "Nac ofna, myfi yw'r cyntaf a'r diweddaf; a'r Hwn wyf fyw, ac a fum farw; ac wele, byw ydwyf yn oes oesoedd, Amen" (Dat. 1; 17-18). Ac y mae yn ffaith drawiadol fod ein cynnydd fel aelodau yn y pum mlynedd 1904-1909 yn 74, tra nad oedd ond 71 am y *deng mlynedd* blaenorol.

Y mae y ffigyrau a ganlyn yn profi yn eglur fod i'r Eglwys ei gwaith yn y cylch. Yn ystod y blynyddoedd 1897-1909, ymunodd 687 â ni drwy lythyrau, 62 o'r byd a 55 o hâd yr eglwys, yn gwneud cyfanrif o 804. Bedyddiwyd 69. Felly y mae 873 o bersonau wedi dyfod i berthynas neulltuol â ni fel eglwys yn y cyfnod byr a nodwyd. Gwir fod llawer ohonynt wedi ein gadael yn bur fuan drwy symud o'r ardal, rhai, yswaith, heb ofalu dim am eu llythur aelodaeth; ac ereill, wedi ein gadael am yr Eglwys orfoleddus yn y Nef, y rhai er wedi marw, sydd yn llefaru eto.

Pennod bwysig yn hanes yr Achos Mawr fyddai y bennod ar yr Ysgol Sabbothol. Rhaid addef nad yw cynnydd ei rhif yn gyfateb i gynnydd rhif yr aelodau eglwysig – o'r flwyddyn 1897 hyd 1909. Yr oedd cyfanrif yr ysgol yn 1897 yn 185, a chyfartaledd y presnoldeb yn 90; ac yn 1909 yr oedd y cyfanrif yn 243, a'r cyfartaledd yn 125. O! na ellid darbwyllo ein holl aelodau eglwysig i fod yn aelodau o'r Ysgol Sul, am yr hon yr ydym *oll* yn barod i ganu, "Clod, clod i Dduw". Gwneir gwaith ardderchog drwyddi ar y tô sydd yn codi, a gallwn dystio ei bod yn foddion effeithiol o ras i bawb o'i deiliaid yn hen ac ieuanc.

Ynglŷn â hyn, dylid crybwyll sefydliad arall tra gwerthfawr i bawb a'i defnyddiant – sef y Llyfrgell. Cynhwysa tua 330 o gyfrolau, a cheir yn ei plith rai o glasuron llenyddiaeth ein hiaith, a lliaws o weithiau cenhadol (Cymraeg a Saesneg), ynghyd a nifer mawr o lyfrau tra phwrpasol i'r plant. Teimla y Pwyllgor a'r Llyfrgellydd yn dra awyddus i gael ychwaneg o ddarllenwyr i ymuno.

Y mae Cyfarfodydd i'r Plant – y *Band of Hope* a'r Dosbarthiadau gwahanol yn ystod y gaeaf, wedi dwyn ffrwyth lawer, er lles y rhai a'i mynychant, ac er adeiladaeth yr Eglwys yn gyffredinol.

Gofod a omedd i mi ymhelaethu ar waith y Cymdeithasau Dirwestol, Ymdrech Grefyddol, a Llenyddol, a'r meithriniad a roddir i feddwl ac ysbryd y rhai sydd yn ffyddlon iddynt.

Y mae ein Pwyllgorau yn dra lliosog, ond nis gellir canmol gormod ar amcan a gwaith y Pwyllgor Ymweliadol a Changen y Chwiorydd o'r Gymdeithas Genhadol Dramor. Ymgais fawr y blaenaf yw cael pawb o'n cydgenedl yn ein hymyl i wrando yr Efengyl, ac ymgais fawr yr olaf yw hyrwyddo lledaeniad yr un Efengyl yn nhywyll leoedd y byd. Ac nis gallwn fod yn gywir i amcan bodolaeth yr Eglwys Gristionogol heb gadw ein llygaid o hyd ar orchymyn ein Harglwydd, "Ewch i'r holl fyd, a phregethwch yr Efengyl i bob creadur". Ac wrth ymdrechu drosto o hyd, cawn glywed ein Duw yn dywedyd, "Nac ofna, canys yr wyf fi gyda thi; o'r dwyrain y dygaf dy hâd, ac o'r gorllewin y'th gasglaf. Dywedaf wrth y gogledd, 'Dod', ac wrth y dehau, 'Nac attal'; dwg fy meibion o bell, a'm merched o eithaf y ddaear, sef pob un a elwir ar fy enw, canys i'm gogoniant y creais ef, y lluniais ef, ac y gwneuthum ef".

Awst 23ain, 1910 W. HENRY

ATODIAD II

Cyfraniad i'r Genhadaeth Dramor

Un agwedd o hanes yr Eglwys yn Waterloo na chafodd y sylw haeddiannol yn y gyfrol hon oedd y gwaith a'r gefnogaeth ynglŷn â'r Genhadaeth Dramor. I gywiro hyn mae Gweinidog presennol yr Eglwys, y Parchedig Dr D. Ben Rees, yn rhoddi'r braslun a ddilyn o'r gwaith a gyflawnwyd gan unigolion o eglwysi'r Gogledd. O'r dechreuad pwysleisiodd y Parchedig Griffith Ellis bwysigrwydd yr ymgyrch yng Ngogledd Ddwyrain yr India wrth gynorthwyo arweinwyr eglwys Waterloo i sefydlu'r Achos. Er y draul a'r ddyled oedd yn eu hwynebu wrth adeiladu'r capel casglwyd y swm anrhydeddus o £4.12.0d (agos i £400 yng ngwerthoedd heddiw) yn 1883 ar gyfer y Genhadaeth. Yn Adroddiad Blynyddol 1944 gwelir cyfanswm o £107.8.3d gyda £17 yn cael ei neilltuo yn benodol gan bobol ieuanc yr eglwys at waith Dr R. Arthur Hughes, Shillong. Roedd yna gysylltiad uniongyrchol â Dr Arthur Hughes oherwydd daeth i Waterloo gyda'i frawd y Parchedig John Harris Hughes pan symudodd eu tad y Parchedig Howell Harris Hughes o'r Tabernacl, Bangor, i'r ofalaeth yn 1921. Deg oed ydoedd a derbyniodd ei addysg yn Ysgol Christchurch ac yna yn Ysgol Ramadeg Waterloo, Seaforth. Yn ôl yr hanes roedd y bechgyn yn hapus a phoblogaidd yn y cylch hyd y symudodd eu tad i Eglwys Siloh, Llandudno yn Awst 1925.

Daeth Dr Arthur yn ôl i Lerpwl fel myfyriwr yn Adran Feddygol y Brifysgol lle yr enillodd amryw o wobrwyon uchel a graddio gydag anrhydedd. Bu'n gweithio yn ysbytai Lerpwl am chwe blynedd cyn cyflwyno ei hun i'r dystiolaeth genhadol feddygol ar Fryniau Casia. Priododd a Nancy (Wright) o Heswall ar 7 Ionawr 1939 cyn hwylio am India o Benbedw ar 28 o'r un mis. Bu yn gynorthwyydd i Dr H. Gordon Roberts (Cymro arall o Lerpwl a ddechreuodd ac a gyflawnodd lawer o waith) yn Ysbyty Shillong

hyd at ymddeoliad hwnnw yn 1942 ac yna ef oedd arweinydd y sefydliad. Gyda'i allu meddygol anhygoel a'i argyhoeddiad Cristionogol bu o wasanaeth enfawr i drigolion y bryniau ac i eraill mewn poen a gofid yn cynnwys miloedd o filwyr o bob rhan o'r byd oedd yn y wlad yn brwydro yn erbyn Siapan amser yr Ail Ryfel Byd. Er ei holl brysurdeb dechreuai pob dydd gyda gwasanaeth o weddi gyda'i staff. Arloesodd ddulliau yn ymwneud â chlefydon tramor a hyfforddi pobol leol mewn gofal a meddygaeth.

Dychwelodd i Lerpwl yn 1969 ond yn Shillong roedd ei galon. Daliodd ei gysylltiad gweithredol drwy ei waith a'i arweiniad fel ymddiriedolwr o 'Ymddiriedolaeth Gogledd Ddwyrain India–Cymru' a leolwyd yng nghapel Heathfield Road, Lerpwl.

Cafodd ei benodi yn Is-ddeon Academaidd Cyfadran Feddygaeth Prifysgol Lerpwl. Ymunodd ag Eglwys Heathfield Road a'i ethol yn flaenor yn 1971. Cofiwn ef fel gŵr swil, na cheisiodd am anrhydeddau'r byd na swyddogaeth ond eto cafodd ei alw i arwain Pwyllgor Blaenoriaid Sasiwn y Gogledd ac etholwyd ef yn Llywydd y Gymanfa Gyffredinol 1992-93; anrhydeddwyd ef hefyd pan gyflwynwyd iddo yr O.B.E.

Bu farw yn Ysbyty Broadgreen, Lerpwl, ar fore 1 Mehefin 1996 a gwasgarwyd ei weddillion ar Ben y Gogarth yn Llandudno lle bu ei dad yn gwasanaethu. Wedi ei farwolaeth cynhaliwyd chwech o Ddarlithiau Coffa blynyddol iddo, y cyntaf gan ei weinidog, Dr D. Ben Rees, ac yna gan y Parchedigion D. Andrew Jones, Dr Elfed ap Nefydd Roberts, Dr Alwyn Roberts, Mr Gwyn Evans (Weston Rhyn) a'r Athro Aled Gruffudd Jones, Prifysgol Aberystwyth. Gwelir hanes Dr R. Arthur Hughes, ei gymeriad a'i yrfa yn gyflawn yn y gyfrol gynhwysfawr *Llestri Gras a Gobaith* (ISBN 0 901332 53 4) a gyhoeddwyd gan Ymddiriedolaeth Gogledd-Ddwyrain India ac a olygwyd gan y Parchedig Dr D. Ben Rees ac sydd yn olrhain hanes yr holl genhadon Cymraeg yr India.

Erbyn Adroddiad yr Eglwys yn 1985 nid oedd casgliad arbennig yn cael ei wneud at y Genhadaeth Dramor oherwydd bod 'Cronfa Gynnal' y Cyfundeb yn cynnwys £1 y pen am bob aelod at y genhadaeth. Nodwyd yn yr adroddiad:

> . . . Eithriad felly yw ein taliad ni yn 1985 ac y mae rhesymau arbennig amdano. Codwyd arian, am y tro cyntaf, o gymynrodd y

ddiweddar Miss Nora Moxey a rhoddwyd £200 ohono i'r Genhadaeth fel arwydd o'n coffadwriaeth annwyl iawn am ddwy chwaer yn y ffydd, sef Miss Moxley a Miss Lily M. Thomas, gan mor agos at galon y ddwy ohonynt oedd Achos y Genhadaeth.

Erbyn hyn y mae mudiad Cymorth Cristionogol ac apêlion at achosion megis tlodi a thrychinebau eraill, wedi disodli gwaith y Genhadaeth Dramor a'r agwedd o genhadu dros yr Efengyl bron wedi gorffen, er bod gan ein henwad un genhades, sef Miss Carys Humphreys yn Nhaiwan. Ac wrth gwrs bu ein cyn-gaplan, y Barchedig Eleri Edwards, yn cenhadu am flynyddoedd ym Madagascar. Mae'r cylch wedi troi yn y maes hwn hefyd ers diwedd yr ugeinfed ganrif a daw cenhadon Cristionogol o'r India a'r gwledydd Dwyreiniol eraill i genhadu yn ein gwlad ni sydd yn prysur golli ei brwdfrydedd dros yr Efengyl.

Cyfraniad i'r Genhadaeth Dramor

gan y Parchedig Dr D. Ben Rees

Chwaraeodd Eglwysi Presbyteraidd Gogledd Lerpwl sef eglwysi Stanley Road, Walton Park, Peel Road, Seaforth, Bethania Waterloo a Peniel, Southport, ran hynod o bwysig yng ngwaith y Genhadaeth Dramor a gychwynnwyd yn Lerpwl yn 1840, pan aeth Thomas Jones a'i wraig Anne allan i Fryniau Casia. Bu aelodau ac arweinwyr o'r eglwysi hyn yn amlwg o fewn Cyfeisteddfod Cenhadol Lerpwl. Un o'r rhai a gyfrannodd yn helaeth i'r gwaith cenhadol oedd J. C. Roberts (1860-1941), blaenor yn Walton Park o 1907 i 1919 ac yna o 1920 i 1941 yng nghapel Cymraeg Peniel, Southport. Bu'n aelod o'r Cyfeisteddfod yn ddi-fwlch am ddwy flynedd ar hugain. Dangosodd ef a'i briod garedigrwydd i'r cenhadon a'u plant ac yr oedd croeso arbennig i'w cartref mewn tŷ braf ar rodfa'r môr yn Southport. Llywyddodd gyfarfodydd cyhoeddus i ddymuno'n dda i'r cenhadon.

Cofir hefyd am gyfraniad y Parchedig William Davies (1877-1938) gweinidog Capel Cymraeg Stanley Road, Bootle, o 1918 hyd 1938. Capel Stanley Road oedd un o'r eglwysi mwyaf brwd dros y Genhadaeth Dramor er dyddiau eu gweinidog amryddawn, y Parchedig Griffith Ellis. Derbyn-

iodd y Parch. William Davies wahoddiad i weithredu fel un o'r tri dirprwywr fu'n ymweld â'r maes cenhadol yn yr India yn 1935-6. Cynhaliwyd gwasanaeth yn ei eglwys yn Bootle yn dymuno'n dda iddo ef a'r Prifathro David Phillips, Bala, a Dr Llewelyn Williams, tad Mrs Enid Wyn Jones, Lerpwl. Hwyliodd y tri o Lerpwl ar 24 Hydref 1935 am Bombay, Mumbai bellach, ar y *City of Simla*. Cyrhaeddwyd yno ar 16 Tachwedd a'r daith yn ôl yn diweddu ar 28 Mawrth 1936.

Gwnaeth William Davies argraff ymysg plant Bryniau Casia a hefyd ymhlith yr oedolion fel pregethwr grymus. Yn ôl David Phillips, cafodd trigolion y maes cenhadol yn India syniad da o bregethu'r Cyfundeb ar ei orau. Pregethai yn Saesneg, ond roedd yn rhaid cyfieithu i'r ieithoedd brodorol. Mynegodd un o'r cyfieithwyr ei brofiad fel hyn "Ni chlywais y fath bregethu erioed. Y fath lais, y fath draddodi a'r fath feddyliau".

Yn ystod ei ymweliad cafodd anhwylder, a fu'n angheuol iddo o fewn blwyddyn a hanner. *Infection* yw'r term a ddefnyddiodd un o'i flaenoriaid, E. Meirion Evans mewn teyrnged iddo, a bu'n bur wael yn Ysbyty Shillong o dan ofal Dr Barlow a Dr H. Gordon Roberts. Yn niwedd 1937 daeth rhagor o drafferthion iddo, ac anodd iddo oedd siarad a phregethu, canlyniad yr anhwylder a gafodd ar y maes cenhadol yn yr India. Cafodd driniaeth lawfeddygol ond ni fedrai ailafael yn ei waith. Bu farw fore Gwener, 22 Gorffennaf 1938, wedi iddo gael gofal mawr gan ei briod Miriam Davies (née Parry), merch o Rostryfan. Bu'r arwyl yn Stanley Road, Bootle, a rhoddwyd teyrnged gan amryw, yn eu plith y Dr H. Lyngdoh, meddyg o Gasi a oedd ar ymweliad â Lerpwl. Cyhoeddwyd cyfrol i'w goffáu o dan olygyddiaeth D. L. Rees, gweinidog Capel Moss Side, Manceinion, yn 1939, a'i gyhoeddi gan Wasg y Brython.

Gŵr a ddaeth o dan gyfaredd William Davies oedd Trebor Mai Thomas (1910-1984) a anwyd yn y Gaiman, Patagonia. Yn ddeunaw oed gadawodd ei rieni Laura ac Edward Owen Thomas (blaenor yng nghapel Bethel Gaiman) ac ymgartrefu gyda'i ewythr a'i wraig yn Bootle, gan ymaelodi yng nghapel Stanley Road. Pan hwyliodd o Dde America, Cymraeg a Sbaeneg a siaradai, a bu'n rhaid mynd i Goleg Clwyd, y Rhyl, i dderbyn hyfforddiant yn yr iaith Saesneg. Bu wrthi'n paratoi am 13 mlynedd i fod yn genhadwr gan ennill BA mewn Hebraeg ym Mangor, BD yn Aberystwyth a diploma yn Selly Oak, Birmingham. Anfonwyd ef allan yn 1941

i Shillong i wneud gwaith arbennig ymysg yr ifanc yn y ddinas a phriododd ag un o ferched Capel Heathfield Road, sef Nansi Mary Thomas (née Davies) (1910-1988). Bu hi yn genhades ymroddedig fel y gweddill o'i theulu.

Yr oedd Gogledd Lerpwl yn cyfrannu'n helaeth i'r Genhadaeth, gan fod y gyfrol hon yn sôn am y Parchedig D. Stephen Davies a'i briod Blodwen ac Oliver Thomas (1887-1950); bu ef yn gaffaeliad mawr i gapel Cymraeg Waterloo. Llywyddai gyfarfodydd yno a bu perthynas dda rhyngddo â'r gweinidog, y cyn-genhadwr D. S. Davies. Edmygid ef yn Waterloo am ei wroldeb a'i ysbryd siriol drwy'r holl galedi a ddioddefodd. Bu ei briod Annie Thomas (née Dennison) (1888-1960) yn aelod gwerthfawr yng nghapel Waterloo am 33 o flynyddoedd.

Nid rhyfedd fod yng nghapel Waterloo dystiolaeth rymus o blaid y Genhadaeth ymysg y gwragedd a'r dynion gan fod hanes y maes cenhadol i'w glywed yn gyson. Yr oedd y blwch cenhadol yn symbol o'r gweithgaredd. Yn nhridegau'r ugeinfed ganrif paratôdd y Swyddfa Genhadol yn Lerpwl flwch cenhadol atyniadol a bodlonodd W. R. Williams, blaenor yng nghapel Waterloo, i dalu i arlunydd i baratoi label ddarluniadol mewn lliw i osod ar y blwch. Dangosid Iesu a'i freichiau'n agored i groesawu ato holl blant y byd – plant India, Tsiena, yr Affrig, Môr y De, yr Escimo a'r Indiaid Cochion yn eu hamrywiol wisgoedd. Yr oedd blychau i'r oedolion a blychau i'r plant yn barod ar ddechrau 1936 ac fe'i defnyddiwyd am o leiaf ddeugain mlynedd. Disodlwyd hwy gan flychau plastig ond nid yw'r brwdfrydedd yr un fath ag yr ydoedd yn nyddiau W. R. Williams, E. Meirion Evans, Trebor Mai Thomas ac Oliver Thomas. Diflannodd y te cenhadol a'r noson bwysig i agor y blychau.

Ond daliodd y gwaith cenhadol yn rymus yn Waterloo ar hyd gweinidogaeth y Parchedig R. Maurice Williams. Un o'r gwragedd selog oedd Mrs Mattie Williams (née Morris) a fagwyd yng nghapel Douglas Road a phriod Mr H. R. Williams. Byddai hi a Mrs Ellis Owen yn weithgar o fewn Cyfeisteddfod Cenhadol Gwragedd capeli M.C. Lerpwl. Ac yn niwedd y chwedegau daeth cenhades arall i gefnogi'r dystiolaeth yng Nghapel Waterloo, sef Miss Lily M. Thomas (1902-1973), cynnyrch Cymry Manceinion. Aeth hi allan i'r maes yn 1955 ar ôl marwolaeth Dr Helen Rowlands i ofalu am y gweddwon a'r plant amddifaid yn Dipti Nibash ('Annedd y

Goleuni') yn Karimganj. Arhosodd yno hyd 1958. Symudodd wedyn i weinyddu yn Ysbyty Jowai ar Fryniau Casia. Pan ddaeth galwad i gynorthwyo'r chwaer Miss Winnie Thomas yn Sylhet, aeth yno. Llafuriodd y ddwy yn yr ardal honno – a ddaeth yn Ddwyrain Pacistan yn 1967 – hyd nes i'r gwaith gael ei drosglwyddo i Genhadaeth Santal o wlad Norwy yn y flwyddyn honno. Dychwelodd y ddwy i Lerpwl ym Mehefin 1967, ond bu Winnie farw o fewn tri mis, a bu Lily'n ffodus i gael cyfeillgarwch un o selogion pennaf y gwaith cenhadol ymhlith Cymry Lerpwl, sef Miss Nora Moxey o gapel Presbyteraidd Saesneg (ein henwad), Clubmoor. Daeth ei mam Mrs Moxey, oedd yn byw yn Aintree ac mewn gwth o oedran, yn aelod yn Waterloo. Symudodd y ferch a Lily Thomas i gapel Cymraeg Waterloo. Cerddai'r ddwy ran amlaf rai milltiroedd (pedair milltir un ffordd o leiaf) o'u cartref fore Sul er mwyn mynychu gwasanaethau Cymraeg yn ystod gweinidogaeth rymus y Parchedig R. Maurice Williams. Yr oedd y ddwy, fel y cofiaf yn dda, yn hynod o frwdfrydig o blaid y Genhadaeth yn yr India, er i Lily Thomas gael ei gwrthod gan y Presbyteriaid yn 1929 i fynd i Lydaw yn genhades. Yr adeg hynny yr oedd yn byw yn 107 Chatham Street, Lerpwl, ac yn mynychu Capel Cymraeg Chatham Street sydd yn dal yn addurn hyd heddiw. Er y siom ni chollodd Lily na'i ffrind cywir, Nora mo'r nwyd cenhadol hyd derfyn eu dyddiau.

Fel y gwelir yn y bennod hon y mae gan Ogledd Lerpwl o ran y capeli Cymraeg y Methodistiaid Calfinaidd le mawr i ymfalchïo yn eu tystiolaeth ac yn y gwŷr a'r gwragedd a fu mor amlwg a brwdfrydig yn y gwaith, rhai ohonynt a droediodd yn drwm ar y maes cenhadol ac eraill a wasanaethodd yr Arglwydd yn y filltir sgwâr. Diolch am y gorffennol ond yr ydym yn dal i lawenhau yn y gwaith cenhadol a gyflawnid yn ein dyddiau ni led led y ddaear, gan gofio cyfraniad Eglwys gynnes gartrefol Bethania i'r 'Eglwys Fyd Eang'.

ATODIAD III

Blaenoriaid Eglwysi Waterloo a Bethania

1880	Edward Peters, Wesley Street (1887)
	Morris J. Parry, Hicks Road (1896)
	William J. Hughes, Claremont Road (1903)
1885	William Jones, Willoughby Road (1888)
	Hugh Thomas, Grey Road (1888)
1894	David Parry, Gordon Road (1921)
	Owen G. Pritchard, Sandringham Road (1900)
	Edward. R. Jones, Beaconsfield Road (1902)
	Walter E. Lloyd, Victoria Road (1898)
	William Griffith, Great George's Road (1895)
1902	Ellis W. Jones, Waterloo Park (1918)
	Joseph Pritchard, Hereford Road (1921)
1908	Jonathan Jones, Elton Avenue (1970)
	John Lloyd, Moorgate Street (1939)
	Hugh Roberts, Moss Lane, Orrell Park (1934)
1919	Watkin Morgan, Tuscan Street (1939)
	Edward H. Roberts, Cambridge Road (1950)
1926	John Lewis, Enbutt Lane, Crosby (1937)
	John P. Thomas, Kimberley Drive (1943)
1934	William P. Bulkeley, Park View (1938)
	W. R. Williams, Elton Avenue (1941)
1937	David C. Roberts, Park View (1968)
1938	Griffith John Williams, Myers Road West, Crosby (1947)
1943	Llewelyn Jones, Ivanho Road (1965)
	Thomas A. Lloyd, Milton Road, Waterloo (1969)
	Evan Lloyd, Empire Road (1975?)

1947 D. Aneurin Hughes, York Avenue (1985)
Trebor Jones, Alexandra Road (1963)
W. S. Kershaw, Corona Road, Crosby (1975)
Peter L. Lloyd, Rosemoor Drive (1967)
H. R. Williams, Marlborough Road (1989)
1964 Howell Roberts, Queensway (1973)
David H. Jones, Longcliffe Drive (1982)
1967 Gwilym Evans, Sandringham Road, Waterloo (1979)
J. P. Lloyd, Leopold Road (1978)
David C. Williams, Esplen Avenue, Crosby (1992)
1978 Trefor Griffiths, St Peter's Close, Formby (1983)
Richard Hughes, Myers Road East, Crosby (2000)
J. Alun Edwards, Channel Reach, Blundellsands (1994)
R. Alun Roberts, Milton Road, Waterloo (2002)
1992 T. Selwyn Williams, Litherland (2003)
Dewi Garmon Roberts, Maghul (1996)
John P. Lyons, Knowsley Village
2000 Gwyneth Evans, Southport (2004)

Welsh Presbyterian Church,

Dean Street Waterloo.

Minister—SUPPLIES.

Elders—MR. W. J. HUGHES, The Elms, Claremont Road, Seaforth.
MR. M. J. PARRY, 5 Hick's Road, Seaforth.

Finance Committee—
MR. ROBERT JONES, 20 Gt. George's Rd., Waterloo.
MR. DAVID PARRY, 5 Hick's Road, Seaforth.

Superintendent of S. School—
MR. ROBT. JONES, 20 Gt. George's Rd., Waterloo.

Secretary of S. School—
MR. J. E. JONES, Waterloo House, Seaforth.

Services.

Sunday: 10-30 a.m., 6 p.m.---Sermon.
2-30 p.m.---School.
Monday: 7 p.m.---Prayer Meeting.
8 „ Singing Meeting.
Tuesday: 7 p.m.---Church Meeting.

Blaenoriaid.

Mr. WILLIAM J. HUGHES, The Elms, Claremont Road, Seaforth.

Mr. MORRIS J. PARRY, 5 Hick's Road, Seaforth.

Arweinydd y Canu.

Mr. DAVID PARRY, 5 Hick's Road, Seaforth.

Pwyllgor Arianol.

Mr. D. PARRY, 5 Hick's Road, Seaforth (am 3 blyn.)
Mr. J. WILLIAMS, 31 Elm Rd., Seaforth „ 2 „
Mr. R. JONES, 26 Gt. George's Rd., W'loo. „ 1 „

Archwilydd y Cyfrifon.

Mr. ROBERT ROBERTS, 18 Ewart Road, Seaforth.

Gosodir yr Eisteddleoedd ar ol unrhyw Gyfarfod gan y Swyddogion, neu Aelodau y Pwyllgor Arianol.

Swyddogion achos Dean Street / Officers of the Dean Street Chapel.

Cymdeithas Eglwysig y Methodistiaid Calfinaidd

YN NGHAPEL WATERLOO.

Dymunir yn garedig ar yr holl Aelodau, hyd y gallant, dalu eu haddunedau O LEIAF UNWAITH BOB CHWARTER. *Derbynir cyfraniadau bob Nos Sabboth, yn yr envelopes a barottowyd i'r perwyl hwnw. Os yn fwy cyfleus i unrhyw Aelod, derbynir cyfraniadau gan un o'r Swyddogion ar Nos Fawrth.*

Nid yw y Cerdyn hwn yn rhoddi hawl i Aelodaeth mewn Eglwys arall. Rhoddir tocyn priodol i un yn ymadael; pryd y disgwylir iddo ddychwelyd y cerdyn a chyflawni ei addunedau at yr achos.

"Pa bethau bynag sydd wir, pa bethau bynag sydd onest, pa bethau bynag sydd gyfiawn, pa bethau bynag sydd bur, pa bethau bynag sydd hawddgar, pa bethau bynag sydd ganmoladwy; od oes un rhinwedd, ac od oes dim clod, meddyliwch am y pethau hyn."—PHIL. iv. 8.

"Heb esgeuluso ein cydgynulliad ein hunain, megys y mae arfer rhai."

"Na fyddwch yn nyled neb o ddim, ond o garu bawb eich gilydd."

"Pan addunedech adduned i Dduw, nac oeda ei thalu, y peth a addunedaist tal."

Tocyn Aelodaeth / Membership Card
Crosby Road South, Waterloo, 1884.

Directions for Church Members.

I. Every Member is expected to attend the Sunday and Week-night Meetings as regularly as circumstances will permit.

II. No member who neglects to attend the Church Meetings without a satisfactory cause will be permitted to retain his or her standing in the Church.

III. When a member is suffering from affliction, or otherwise hindered from attending, it is expected that he or she will inform the Elders or one of the members of the Finance Committee, that the case may not be overlooked.

IV. Every member changing his or her residence is earnestly requested to acquaint the Elders, or one of the members of the Finance Committee as soon as possible.

V. Every member is expected and earnestly requested to contribute, weekly or monthly, towards the support of the Ministry, as God hath prospered him.

VI. Every member leaving the neighbourhood is requested to make a timely application to the Elders for a letter of introduction to another Church.

VII. Every case affecting the moral character of a member must, and will be thoroughly investigated by the Church.

Tocyn Aelodaeth / Membership Card
Dean Street, Waterloo, 1887.

Parchedig William Henry a'r blaenoriaid / Revd William Henry and the elders.

Plant Capel Waterloo / The children of Waterloo Chapel at their Sunday School picnic on 19 June, 1912.

Aelodau Capel Waterloo / Members of Waterloo Chapel at their picnic in 1912.

Dynion yr Ysgol Sul / The men who attended the Sunday School in 1912.

Aelodau dosbarth Mr Mathews / Members of Mr Mathews' Sunday School class.

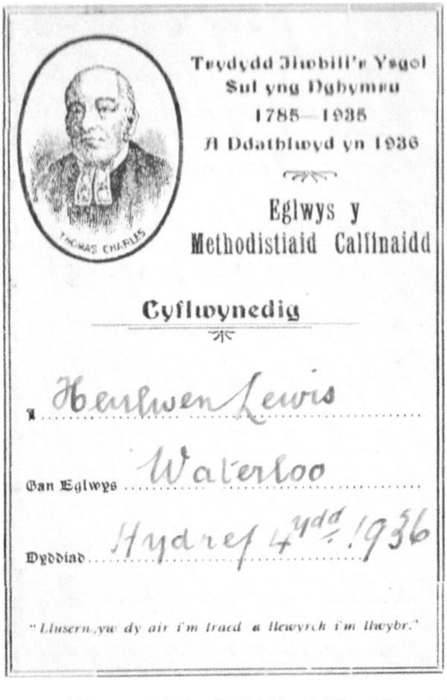

Trydydd Jiwbili'r Ysgol
Sul yng Nghymru
1785—1935
A Ddathlwyd yn 1936

Eglwys y
Methodistiaid Calfinaidd

THOMAS CHARLES

Cyflwynedig

I ...Heulwen Lewis...

Gan Eglwys ...Waterloo...

Dyddiad ...Hydref 4ydd 1936...

"Llusern yw dy air i'm traed a llewyrch i'm llwybr."

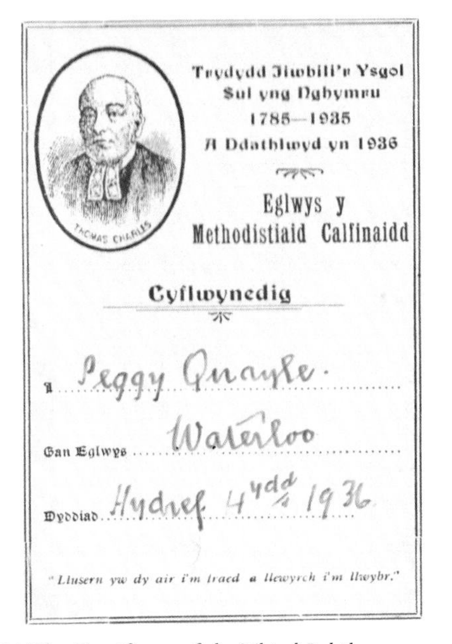

Trydydd Jiwbili'r Ysgol
Sul yng Nghymru
1785—1935
A Ddathlwyd yn 1936

Eglwys y
Methodistiaid Calfinaidd

THOMAS CHARLES

Cyflwynedig

I ...Peggy Quayle...

Gan Eglwys ...Waterloo...

Dyddiad ...Hydref 4ydd 1936...

"Llusern yw dy air i'm traed a llewyrch i'm llwybr."

Tystysgrif Trydydd Jiwbili yr Ysgol Sul / The Certificate of the Third Jubilee of the Welsh Sunday School movement in 1936.

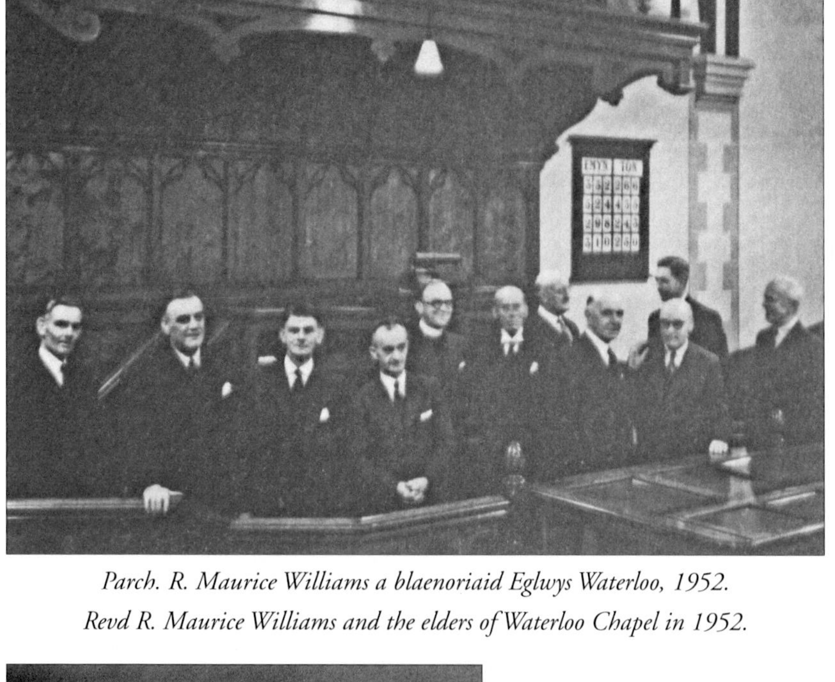

Parch. R. Maurice Williams a blaenoriaid Eglwys Waterloo, 1952.
Revd R. Maurice Williams and the elders of Waterloo Chapel in 1952.

Y Parch. Griffith Ellis, M.A.

Revd Griffith Ellis, M.A. (1844-1913), minister of Stanley Road Welsh Calvinistic Methodist Chapel, Bootle, from 1876 till 1911.

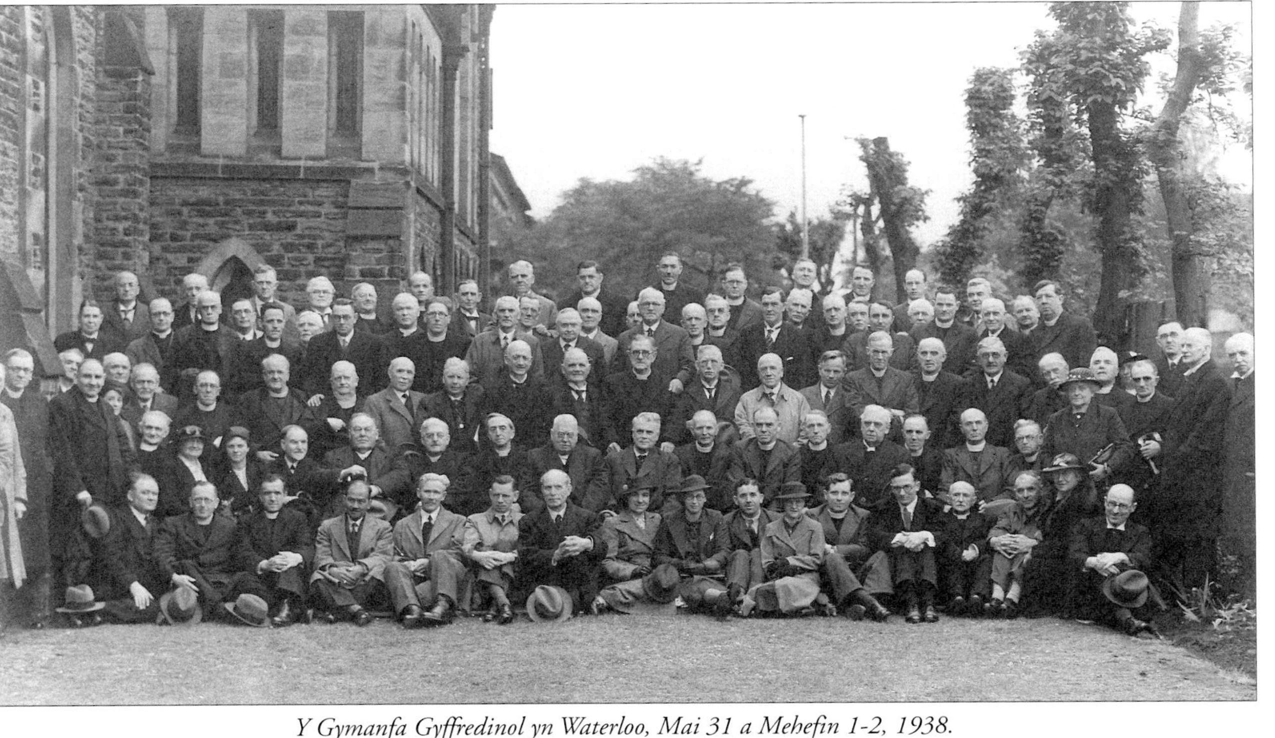

Y Gymanfa Gyffredinol yn Waterloo, Mai 31 a Mehefin 1-2, 1938.
Delegates to the General Assembly held at Waterloo, May 31, June 1-2, 1938.

Byd y Ddrama yn y capel / Waterloo burlesque, c.1939

Plant lleiaf y Capel yn 1947.
The young children of Waterloo Chapel in 1947.

Y Capel yn 1965 / The Chapel in 1965.

Swper Gŵyl Dewi tua'r chwedegau cynnar.
St. David's Day celebrations in the early 1960s.

Dau o Gapel Waterloo, Mrs R. M. Williams a D. Aneurin Hughes, yn ymweld â Chapel Peniel, Southport.

Two from Waterloo Chapel, Mrs R. M. Williams and D. Aneurin Hughes, visiting Peniel Welsh Chapel, Southport.

Ffyddloniaid cynulleidfa Southport gyda'i bugail, y Parch. D. Glanville Rees.

Faithful members of Southport Welsh Chapel with their pastor, Revd D. Glanville Rees.

Console organ Capel Waterloo / Console of the organ of Waterloo and Bethania Chapel.

John P. Lyons yn croesawu Mr Rheinallt Thomas a'r gynulleidfa i cyfarfod cau adeiladau Bethania, Waterloo, 28/10/07.

John P. Lyons welcoming Mr Rheinallt Thomas and the congregation at the last service in the Waterloo Chapel on 28 October, 2007.

Parti te yng nghartref Mona ac Evan Bowen yn Eaton Road.
Rhes gefn (chwith i'r dde): Peter a Menna Caton, Evan a Mona Bowen, Meinwen a D. B. Rees, Menna Edwards. Margaret Rowlands, Margaret Quayle, Jim Boyd.
Rhes flaen (chwith i'r dde): Marian Lyons, Nan Lewis, Hilda Pierce, Eleanor Bryn Boyd, Glenys Jones, Dorothy Williams, Heulwen Lewis, Mair Powell a Kitty Roberts.

A tea party in the home of Evan and Mona Bowen in West Derby.

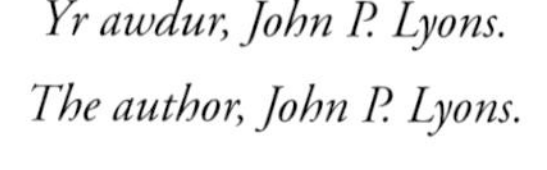

Yr awdur, John P. Lyons.

The author, John P. Lyons.

Y Parchedig Dr D. Ben Rees.

Reverend Dr D. Ben Rees, minister of Bethania since 1993.

Dadorchuddio Plac Etifeddiaeth ar Gapel Stanley Road, Bootle, gan Miss Eirian Roberts ar Sul, Hydref 12, 2003.

Unveiling a plaque to remember the Welsh community concentrated on Stanley Road, Bootle, on Sunday, 12 October, 2003. The address was given by Miss Eirian Roberts of Bootle, a lifelong member of the community.

Capel Bethania, 2007 / Bethania Chapel in 2007.

Llun o'r galeri yn dangos y nenfwd a'r organ.
The gallery and the interior of Bethania Chapel.

Ystafell y blaenoriaid, Bethania / The elders room in Bethania Chapel.

Llestri y Cymun a roddwyd er cof am Mr Jonathan Jones, blaenor, 1908-1970.

The family of Mr Jonathan Jones, an elder at Waterloo from 1908-1970, donated these gifts pertaining to the Sacrament of the Lord's Supper. They are still in use at the monthly communion service.

Y gweinidog a'r gynulleidfa yn Christ Church yn dathlu Priodas Aur John a Marian Lyons.

The minister and the congregation at Christ Church celebrating the Golden Wedding of John and Marian Lyons.

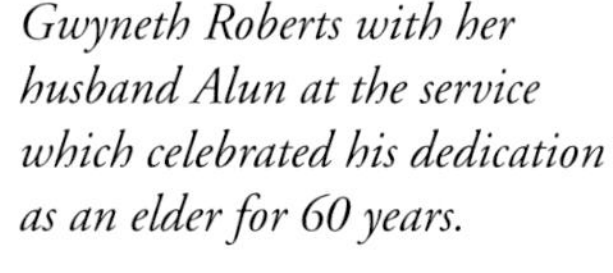

Mr Alun a Mrs Gwyneth Roberts ar ddathliad Alun yn flaenor am 60 mlynedd.

Gwyneth Roberts with her husband Alun at the service which celebrated his dedication as an elder for 60 years.

John P. Lyons, Alun Roberts a T. Selwyn Williams, blaenoriaid Bethania.

John P. Lyons, R. Alun Roberts (Crosby) and T. Selwyn Williams (Litherland), elders at Bethania.

Mr Bob Lewis yn ledio'r gân a Nan yn cyfeilio. Parch. Glyn Tudwal Jones yn llywyddu.

Bob Lewis as precentor with his wife Nan as organist and Revd Glyn Tudwal Jones presiding.

Gwasanaeth olaf yng Nghapel Bethania.
Members gathering for the last service within the Waterloo Chapel.

10 Mai 1998. Gwasanaeth dathlu Mr R. Alun Roberts yn flaenor er 60 mlynedd.

R. Alun Roberts, 10 May 1998, on celebrating 60 years as an elder at Liverpool Presbytery.

From left to right: John P. Lyons, Parch. Glyn Tudwal Jones, J. Tudor Owen (Birkenhead), Parch. Dr D. Ben Rees, T. Selwyn Williams, Parch. T. R Wright. Front: Mrs Gwyneth Roberts, R. Alun Roberts, Miss Eleri Edwards, Chaplain to the Liverpool Welsh Presbytery.

Dathlu gyda Cinio y Nadolig yn y Royal Hotel, Waterloo (2010).
Christmas Dinner held at Waterloo Royal Hotel in 2010.

Y gynulleidfa Sul cau adeiladau'r Eglwys, 28 Hydref 2007.

The congregation at the service on 28 October 2007.

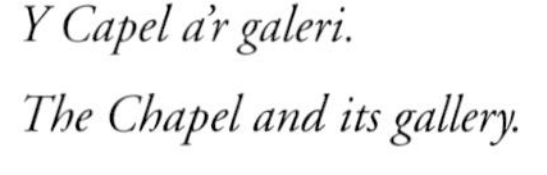

Y Capel a'r galeri.

The Chapel and its gallery.

Y nenfwd a'r galeri.

The interior of the Chapel

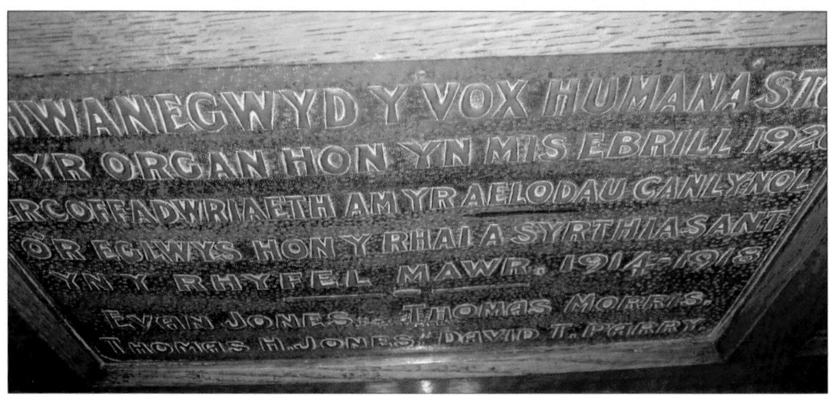

Cofiant am y rhai a syrthiodd yn y Rhyfel Mawr ar gaead yr organ.
Remembering the fallen of the First World War on the chapel organ.

Organ hardd Bethania / The beautiful organ of Bethania donated in 1914.

Miss Heulwen Lewis, Mrs Margaret Williams, Parchedig Margaret Quayle a Mrs Dela Jones.

These four ladies were brought up in the chapel of Waterloo.